JOSETTE MILGRAM

W0391623

MAKE UP *PAR* marie claire

Éditions **marie claire**

Make-Up

maquillage
[makijaz]
ふんしょく
trucco
maquillaje
urechtmachen
化妝
kosmetika

Sommaire

Toutes les beautés du monde…

1

...et moi?

MON CAPITAL BEAUTÉ

Beau teint sur tous les tons

Du diaphane opalescent aux plus sombres beautés, on peut aujourd'hui facilement trouver son registre sur tous les tons. Petites règles de base...

CLAIR Les carnations évoluent selon la saison et les modes : la pâleur, synonyme de fraîcheur, est redevenue un atout. On sait mettre l'accent sur la transparence sans créer d'effet masque. Fini le côté unifié : blanc perlé, beige diaphane, rosé fondant offrent un registre délicieusement sexy. Déterminez le vôtre, selon que votre peau tire plutôt vers le rose (fond de teint rosé et poudre de soleil cuivrée) ou vers le jaune (fond de teint ton sur ton, poudre de soleil dorée au diapason).

DORÉ pas de doute, si la dictature du (trop) bronzé n'est plus d'actualité, un teint ensoleillé – que l'on aide ou pas la nature – est le plus efficace des embellisseurs. On sait maintenant l'obtenir d'un simple coup de pinceau. Mais entre le doré et le cuivré, toutes les nuances existent.

AMBRÉ les sublimes peaux métissées doivent éviter de tirer vers le jaune : pour cela, il suffit de mettre en valeur leur côté fruité par des orangés ou des beiges rosés.

BRUN À NOIR Un correcteur pêche illumine les peaux les plus sombres et accroche la lumière : des notes d'éclat animent le teint et donnent du relief et de la vie...

C'est génétique : c'est la mélanine, un pigment naturel, qui va donner le ton, ce que l'on appelle le phototype. Il existe dix tons de base de peaux blanches mais pas moins de quatre-vingts tons de peaux noires ! Sur une peau "blanche", toute la lumière est réfléchie. En revanche, plus il y a de mélanine, plus la lumière est absorbée, ce qui produit un effet de plus en plus foncé...

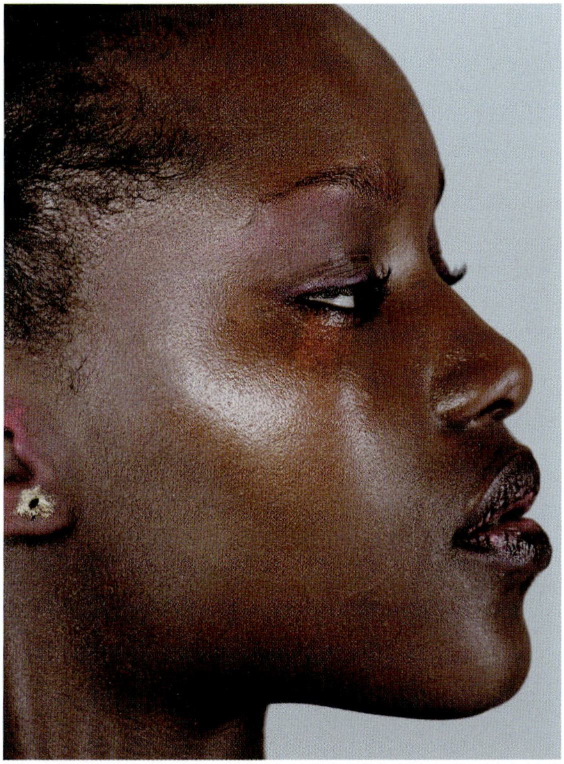

La structure de mon visage

Un ovale parfait, une architecture idéale, figée depuis l'Antiquité dans des canons divisant un visage en trois parties égales : front, nez, bouche ? Surtout pas, vive la différence ! Une seule règle : être vous-même et en tirer le meilleur parti.

OVALE La largeur d'un œil entre les deux yeux, le front plus large que le bas du visage et des sourcils qui s'arquent juste au-dessus du centre de l'œil... Bref, la perfection sans commentaire. Le maquillage vous aidera à révéler votre personnalité en mettant l'accent sur le regard ou la bouche.

ALLONGÉ aller vers des lignes horizontales va donner l'impression d'élargir et d'égayer le visage. Des sourcils raccourcis et les moins arqués possible renforceront cette tendance. Le blush se pose sous la pommette.

TRIANGULAIRE La féminité d'un large front, d'un petit menton aigu, dessine une ravissante figure géométrique dont on met en valeur les pommettes sous des sourcils étoffés.

CARRÉ Un mouvement vers les tempes va minimiser la ligne des mâchoires et adoucir l'ensemble, ainsi que des sourcils généreux qui remontent vers la pointe externe.

ROND On allonge... les joues trop pleines paraissent plus fines si on joue à tirer les lignes vers le haut – en restant très léger sur les couleurs et en évitant les bruns. Les sourcils seront gardés épais le plus effilés possible vers l'extérieur.

ANGULEUX Arrondir les angles – c'est à cela que le maquillage va contribuer. Les sourcils étirés en direction des tempes changeront la perception de traits un peu trop géométriques.

L'AVIS DU MAQUILLEUR PROFESSIONNEL (Stila)

La forme du visage peut révéler un trait de caractère, parfois inconnu de soi. Mais, au-delà des classifications, heureusement, personne n'est standard. Il n'y a même pas cette fameuse obligation du «Je me creuse la joue ». Ce ne sera pas forcément la bonne réponse pour vous : en touchant les bombés et les creux de votre visage, les yeux fermés, vous allez sentir là où vous pourrez mettre l'accent, grâce aux nouvelles textures.

La couleur de mes yeux

Miroir changeant de vos émotions, palette subtile exprimant toutes les nuances de votre personnalité, une arme absolue que vous allez pouvoir magnifier dans une infinité d'harmonies.

BLEUS Une merveilleuse illusion d'optique (l'absence de mélanine à fleur d'iris reflète la lumière comme le ferait un lac, plus l'action du chromosome 15) vous a offert la couleur la plus célébrée : profitez-en pour ne pas jouer la surenchère. Pas de fard bleu ton sur ton, mais du marine, du gris fumée, du chocolat, de l'abricot ou du cuivre, qui feront vibrer vos pupilles…

VERTS Le chromosome 19 vous a fait miser sur cette belle et rare couleur : du mauve au prune, tous les dérivés du rouge vont l'exalter, puisque les contraires s'attirent…

GRIS Une nuance toute en nuances, qui reflète vos humeurs et celles du ciel. Vous les voulez plutôt bleus ? Du gris ou du rouge cuivré feront merveille. Ils tireront vers le vert si vous les habillez de lavande ou d'aigue-marine…

NOISETTE Ses éclats mordorés vont adorer les tons de sable chaud, du beige au brun – avec des cils très foncés. Tous les tons de prune, de violet, de vert bronze leur iront aussi.

NOIR Vous pouvez vous accorder toutes les couleurs de l'arc-en-ciel – mais attention aux teintes trop claires ou nacrées qui peuvent par contraste faire paraître le blanc de l'œil… moins blanc. Le bleu nuit, le gris foncé, le brun ou les tons chamois accentueront son côté mystérieux.

L'AVIS DU MAQUILLEUR PROFESSIONNEL (Stila)

Comment faire son choix, entre tons froids – contenant du bleu – ou couleurs chaudes ? Il suffit d'approcher une couleur de votre visage devant un miroir, pour savoir si elle vous valorise ou vous "éteint". On va jouer joues et lèvres en opposition ou en harmonie avec le ton de l'iris, suivant ce que l'on a envie de contrôler, de cacher ou de mettre en avant…

C'est génétique : la mélanine, encore elle, va colorer l'iris et produire, selon la manière dont elle est répartie, un ton uni, un anneau foncé sur un œil clair – ou des paillettes polychromes.

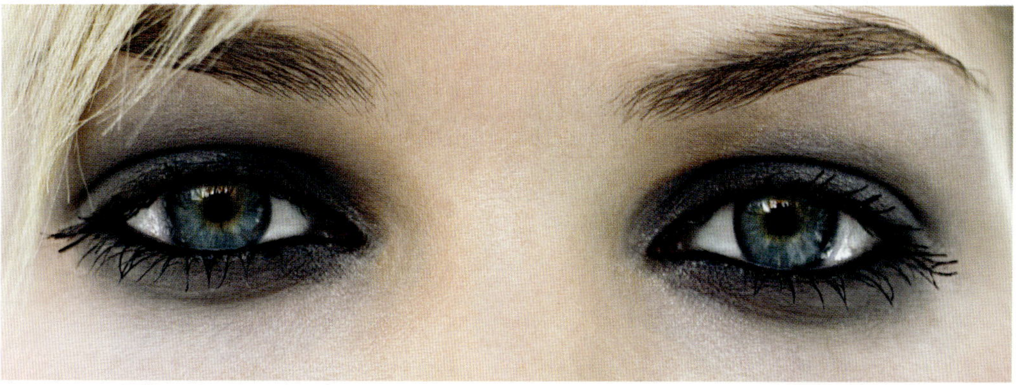
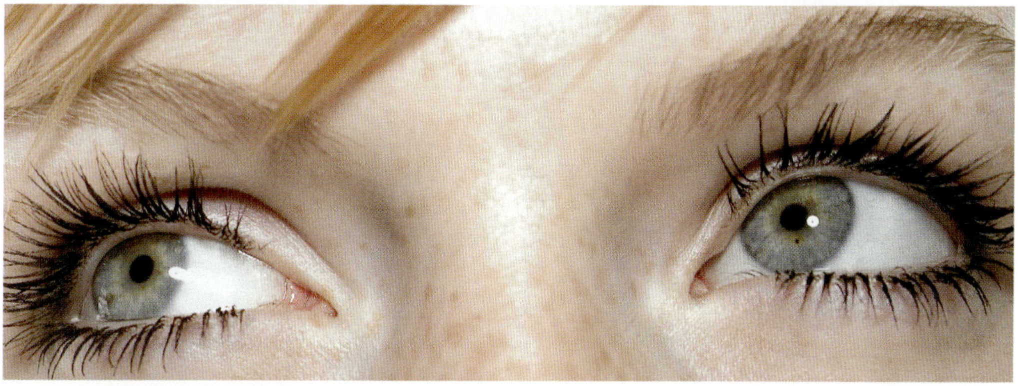
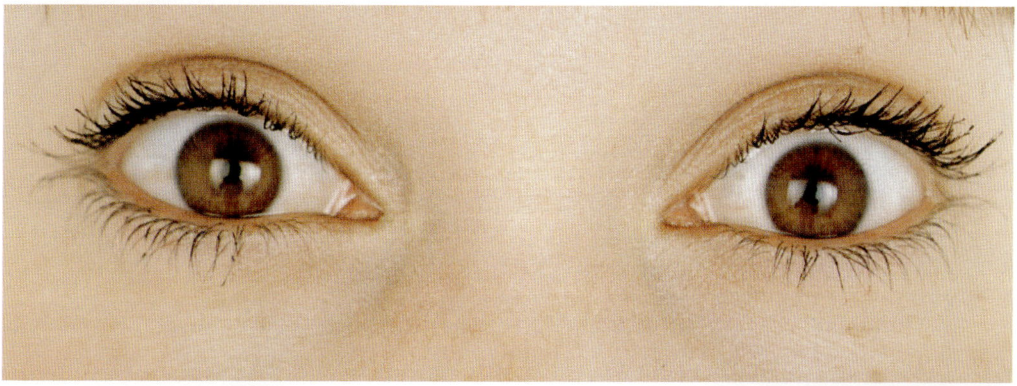
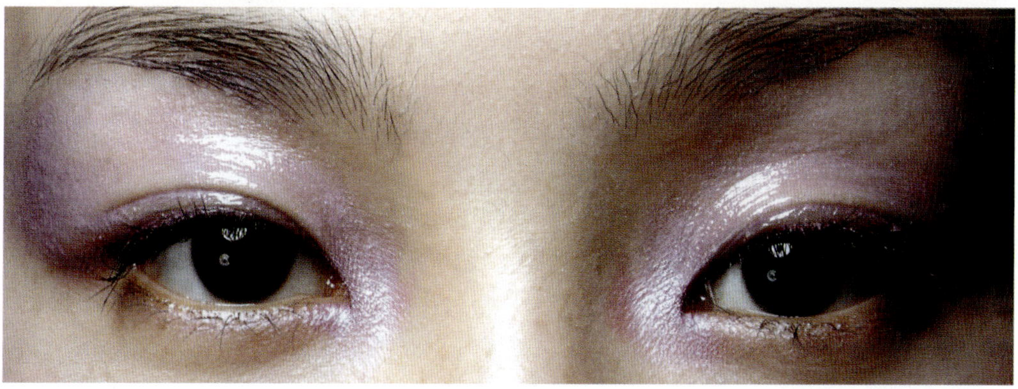

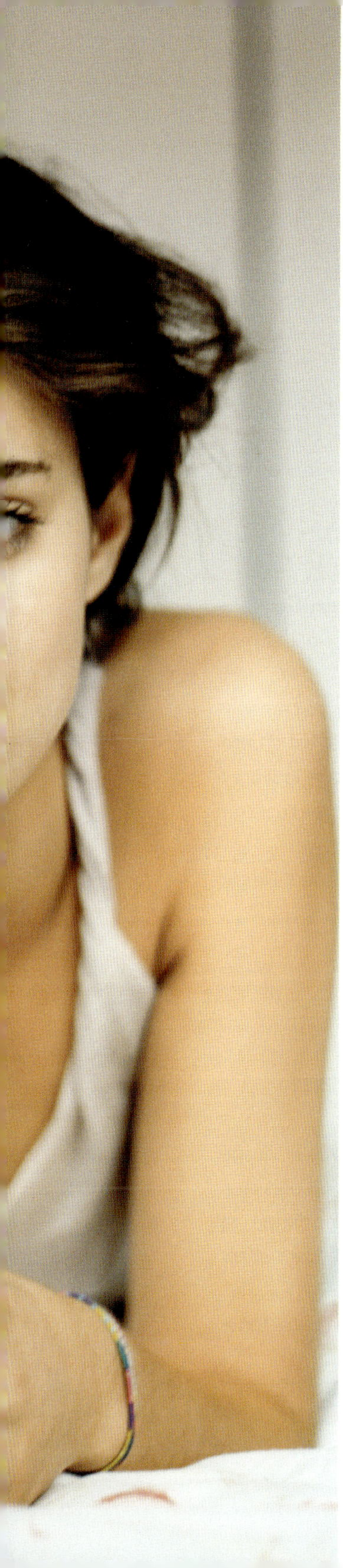

Belle à 20 ans… et à tous les temps !

S'adapter en douceur, exalter sa beauté à tout âge, une évidence qu'a parfaitement prise en compte la cosmétique aujourd'hui, évoluant vers le naturel et la transparence. Démonstration lumineuse dans un subtil jeu de miroirs entre mère en fille…

Une délicieuse séance beauté, en toute complicité, prétexte à un clin d'œil aux années qui séparent (de moins en moins) les générations. L'écart se comble, il est vrai – entre une meilleure hygiène de vie et une alimentation de mieux en mieux maîtrisée, en passant par les prouesses de la cosmétique, qui déploie toute sa science au service de la beauté.

LES NOUVELLES DONNES

15/20 ans : il suffit d'apprendre à profiter de ce que l'on a

30 ans : on sait ce que l'on veut, les textures que l'on aime

40 ans : dolce vita, on révise un peu, on se redécouvre

50 ans et plus : on a envie de tout, on aime être surprise…

RAYON MOINS DE VINGT ANS…

Absurde d'essayer de chiper les produits de beauté de maman et ses couleurs : il faut garder la fraîcheur et la transparence. Vous avez un capital fabuleux, ne le gâchez pas en le dissimulant sous une couche de banalité…

• ne pas jouer avec vos sourcils : perdre leur ligne peut avoir des conséquences que vous regretterez très longtemps.

CÔTÉ TEINT

• crème teintée matifiante pour unifier sans risquer de stimuler la production de comédons

• embellisseur de teint pour corriger les petites imperfections

• un fluide rose à poser sur la pommette ou la bouche. ▶

CÔTÉ REGARD

• mine de rien, le crayon reste le plus adapté pour traiter vos paupières avec tendresse : moins brutal que l'eye-liner, même (surtout) au seul âge où l'on n'a qu'une envie – se vieillir !

CÔTÉ LÈVRES

• elles n'ont besoin d'aucun artifice "repulpant" : gloss ou brillant sont nettement préférables à un rouge soutenu. Un baume hydratant, beige ou rosé, cumulera soin et effet glam recherché.

SPÉCIAL DIX ANS… DE MOINS : LES BONS SPOTS À ÉCLAIRER !

Le secret : procéder par petites touches de lumière à la manière des grands directeurs de la photo, qui savent magnifier les actrices à l'écran…

La lumière qui tombe sur le visage accentue les cernes – on sait combien la station sous un plafonnier est cruelle et souligne les zones à risques. Vive l'éclairage indirect ! En revanche, le maquillage va vous permettre d'éclairer juste les points stratégiques :

• les sillons nasogéniens – qui se creusent de l'aile du nez à la commissure des lèvres
• la ride du lion – entre les deux sourcils
• l'angle interne de l'œil
• le creux de la paupière mobile
• le contour de la bouche.

Oups la houppette
Faire parler la poudre est un art : veloutée, matifiée, elle exalte la peau à condition d'être appliquée avec la légèreté d'un nuage. Se limiter à la partie médiane du visage va préserver le côté "vivant" de la peau et ne pas figer l'expression, la priorité absolue.

PLUS ON AVANCE, PLUS IL FAUT AVOIR LA MAIN LÉGÈRE !

CÔTÉ TEINT

Le fond de teint est à manier avec précaution : plus le visage se marque, plus il a besoin de lumière, surtout pas d'épaisseur. Les nouvelles textures, qui laissent respirer l'épiderme et l'illuminent idéalement en gardant de la transparence, permettent de jouer les pros avec un peu de doigté.

Un mélange anticernes et fond de teint, toujours un demi-ton ▶

plus clair que la peau, va balayer les ombres :
• sur le coin interne de l'œil
• le long du sillon qui va des ailes du nez aux coins des lèvres
• autour de la bouche
• sous la lèvre inférieure
Un stick plus couvrant, à utiliser avec discernement, fera oublier les légers défauts de pigmentation : l'important est de ne masquer que ce qui doit l'être et de donner l'impression de naturel. Et surtout, éviter le croissant plâtreux sous l'œil
• pour réveiller le teint et stimuler le système lymphatique, rien de tel que des glaçons, mais toujours dans une poche de tissu, pour ne pas brûler la peau – c'est le même principe que ce que l'on met au congélateur… sous haute protection.

CÔTÉ LÈVRES

• **effet repulpant assuré** avec une cure de baume hydratant et un soin contour des lèvres : à laisser le plus longtemps possible pour humecter et estomper les ridules
• crayon contour des lèvres : on le choisit gros et en suivant soigneusement le contour externe, on dessine en s'arrêtant avant les coins pour gommer l'effet tombant
• une ombre à paupières nacrée va jouer les gloss, à combiner avec un rouge satin.

CÔTÉ REGARD

• Attention aussi à ne pas laisser déborder l'ombre à paupière : les petites rides d'expression deviennent un réservoir à poudre, nettement plus visibles qu'au naturel !
• des gouttes bleues redonnent un aspect brillant et frais
• du fard mat – qui rend par contraste l'œil plus vif
• renforcer la ligne des sourcils, qui en s'éclaircissant et se raréfiant sont le premier signe de vieillissement visible : redessiner leur ligne vers la tempe
• un trait de khôl blanc cassé va agrandir le regard et empêcher les reflets jaunes sur la cornée.
• un mascara brun au gris sera moins agressif que le noir et tout aussi expressif.

Un mascara léger, de la transparence et le tour est joué !

Belle au futur

Un rouge à lèvres incolore qui prendra la teinte de vos rêves ? Une pilule peau parfaite ? Des effets spéciaux qui illuminent de l'intérieur ? Vivement demain ! Tour d'horizon avec Gérard Redziniak (Pacific Création), docteur en biologie.

Le **miroir de demain** ? Un micro-ordinateur à caméra intégrée qui vous programmera les couleurs de votre humeur ou le look de l'actrice à qui vous souhaiterez ressembler ce jour-là. Le **laser** va permettre de cibler le bon mascara ou l'endroit précis où l'on aura besoin d'estomper une ride. Les correcteurs de teint marieront biologique et cosmétique pour donner un grain parfait : un prémaquillage au sein du premier labo de beauté au monde… notre peau ! On inventera **l'hydratation absolue**, on portera des **textures seconde peau**, des masques à l'aspect infiniment naturel… Les embellisseurs de teint "soft focus" – à effet flouté – feront rebondir la lumière en surface en fonction de l'angle sous lequel elle frappera la peau. Cette "radiance" passera par **des cristaux liquides transparents, agissant à la façon des écrans LCD et restituant des couleurs sublimes** – via des effets polaroïd, où des particules invisibles protégeront tout en restituant un aspect bronzé… On pourra jouer les caméléons, avec un maquillage s'adaptant à l'environnement et variant selon le contexte. Des fonds de teint "intelligents" détecteront les rougeurs intempestives et les corrigeront avant qu'elles ne soient visibles en déclenchant un effet « rayon vert »… Un **rouge à lèvres parfaitement transparent**, mais donc l'actif permettra de passer **de l'incolore au rouge le plus intense**, avec une infinité de variations en fonction de la lumière… créant **un film protecteur, repulpant, un bio polymère qui se fabriquera instantanément sur la lèvre**, selon l'aspect souhaité, du plus naturel au plus théâtral. La chimie ouvre des voies, comme la lyophilisation – qui permet d'obtenir des poudres très pures – ou l'encapsulation : filtres solaires et colorants, emprisonnés dans de minuscules perles de verre, enfin piégées puisque sans aucun contact avec la peau, permettront d'accéder à une palette infinie de couleurs, interdites aujourd'hui pour cause de toxicité… Polymères et **microparticules, telles des micro-ampoules ou diodes luminescentes, illumineront la peau ou le regard pour une soirée,** éclaireront une partie spécifique du visage. On s'offrira enfin des effets diamant sans avoir recours au piercing…

2 teint

À FLEUR DE PEAU

Beige infiniment, une pureté nature, discrètement sublimée.

PALETTE D'AUTOMNE

Comme un pétale de neige comme un cristal de rose.

Peau nue ma vraie nature

Des quatre natures d'épidermes, connaître la vôtre est essentiel : c'est ce qui va déterminer le type de produits qui vous mettront le mieux en valeur. La base pour se sentir bien… dans sa peau !

PEAU CLAIRE… à tendance normale L'explication de la finesse de son grain, de sa douceur et de sa souplesse ? Son équilibre acido-basique : le Ph idéal, c'est vous ! Un capital précieux à couver pour ne pas donner prise au temps , ni aux agressions de l'environnement. Nettoyée, gommée, hydratée, protégée (en particulier des cruels UV), elle ne demandera qu'à servir d'écrin à votre mise en beauté au quotidien.

…à tendance sèche à très sèche Fine et transparente, mais ultra-sensible et fragile : ses ennemis sont partout. Le trop froid, le trop chaud, la pollution… et l'âge : elle se ride facilement et la couperose (ces petits vaisseaux dilatés) guette. Deux priorités : nourrir et hydrater. 80 % des peaux claires sont concernées. Alors pourquoi ne pas vous offrir un humidificateur ?

…à tendance grasse plus épaisse, elle est également plus résistante – y compris au vieillissement ! Soucis esthétiques : lui éviter de briller, lisser les pores dilatés, mener la lutte anti-comédons ou boutons en version dure. La dilatation des pores peut compliquer le maquillage. Alimentation, hygiène (et éventuellement équilibre hormonal) à surveiller de près.

PEAU NOIRE Une grande richesse en collagène et en élastine (d'où son refus de vieillir), un Ph très acide, quinze couches de kératine anti UV qui vous gainent merveilleusement de la tête aux pieds… Bravo ! Mais transpiration et sébum à fleur de peau (réseau capillaire oblige) rendent plus difficile la tenue du maquillage et votre peau réclamera les mêmes soins et la même attention qu'une peau blanche couperosée.

L'AVIS DU MAQUILLEUR PROFESSIONNEL (Stila)

Le diagnostic, c'est la base, même s'il évolue en fonction des saisons, du stress, de l'âge… On commence par partir à la découverte de sa peau nue, sous une bonne lumière. Avec une idée en tête : faire de ses petits défauts des plus, les "fondre" au lieu de les masquer.

Le test "maison"

Sur la peau parfaitement nue, une bande de papier de soie appliquée soigneusement d'une oreille à l'autre et observée en transparence, révélera (ou non) un léger film gras sur une ou plusieurs zones.

Une belle peau : objectif zéro défaut

Vous pouvez tout vous permettre... À condition de partir d'une bonne base : une peau impeccable est la toile de fond qu'il vous faut !

TOUS LES MATINS : HYDRATER/PURIFIER

• une hydratation bien ordonnée commence par un grand verre d'eau au saut du lit • même en s'étant couchée (évidemment) parfaitement démaquillée, compléter le matin avec un coton très imbibé (lotion adaptée à votre type de peau, eau minérale) • nettoyer le coin interne de l'œil au Coton-Tige et enlever toute trace de mascara et de démaquillant sur les cils • un mouchoir en papier pour absorber l'humidité – paradoxalement, une peau qui reste mouillée se déshydrate • vérifier la ligne des sourcils, en chassant impitoyablement les indésirables.

MASSER/LISSER

Donner de l'éclat, c'est avant tout bien préparer la peau • prendre son visage en mains, une noisette de crème au creux de la paume, et opérer un massage délicatement ferme permettra aux traits de se détendre, effacera les traces de fatigue et multipliera l'efficacité des crèmes. La "chauffer" à l'aide de mouvements circulaires et du bas vers le haut aidera à faire pénétrer la crème de jour et à l'hydrater idéalement pour un maquillage minimum avec le maximum d'effet. Aussitôt la microcirculation réactivée, la peau respire... et ça se voit ! • la crème hydratante ne s'arrête pas au visage : faites-en profiter cou et décolleté... en massant là encore, mais toujours du bas vers le haut.

L'AVIS DU MAQUILLEUR PROFESSIONNEL (Stila)

Le fond de peau, c'est la base – le tableau sur lequel on va gommer les petits soucis liés aux conditions de climat ou au stress, dartres, petits boutons et autres rougeurs, avec un effet flash sympa, qui va apaiser.

Toutes les semaines, on met la gomme !
un gommage doux est la seule façon d'éliminer régulièrement les cellules mortes et d'empêcher le teint de griser. À compléter par un nettoyage de peau en institut.

Mise en beauté 5 minutes chrono
envelopper le visage d'une serviette contenant des glaçons.

La base : capturer la lumière

Un teint lumineux, qui reflète avec éclat toutes les facettes de votre personnalité : le sublimateur réinvente la science de la peau pour en faire un nouveau réflexe beauté.

EMBELLISSEUR, ENLUMINEUR, VOILE DE LUMIÈRE, SUBLIMATEUR DE TEINT... C'est à la peau l'équivalent de ce qu'est le gloss aux lèvres, une nouvelle génération de produits qui tiennent leurs promesses avec éclat : illuminer le visage en accrochant la lumière, à l'aide de pigments nacrés qui savent la réfléchir pour mieux combattre le teint terne.

À PORTER visage nu ou, si l'on a envie d'une mise en beauté plus spectaculaire, en complément d'un fond de teint classique – avec lequel on peut parfaitement le mélanger s'il a la fluidité requise. Et s'en faire un masque de beauté d'une parfaite transparence.

À CHOISIR dans les beiges pour les carnations pâles ou légèrement abricot pour les teints dorés. On dépose une goutte sur le dos de la main avant de passer le pinceau dessus et on pose en touches minuscules, au centre de la paupière mobile, sur l'arête du nez, et à la pointe des pommettes. Il va capter et capturer tout l'éclat – et vous le rendra.

POUR LE MAXIMUM D'ÉCLAT on peut le poser également en touche finale, après le fond de teint, sur les parties bombées, le tour des yeux (sans redescendre) et la racine des cheveux.

Pour faire la bouche pulpeuse et canaliser le rouge à lèvres : estomper tout autour des lèvres.

Matériel et matières
- un gros pinceau
- beaucoup de doigté !

La ligne magique : milieu du front, arête du nez, pointe du menton, haut des pommettes.

Anticernes : antistress et antiterne

Un surdoué qui a réponse à tout : camoufler, corriger, matifier, estomper… Il sait tout faire. Alors plus question de s'en passer ! La formule magique pour trouver le sien.

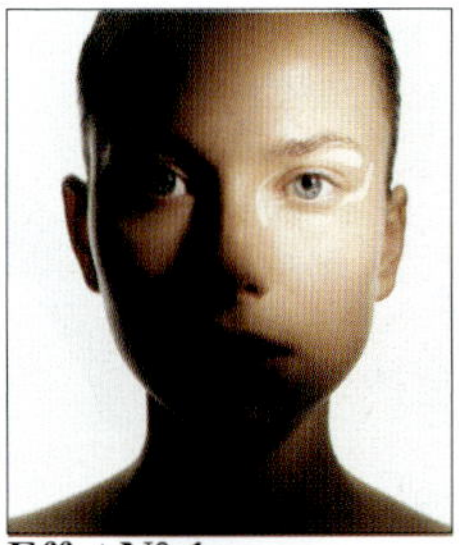

Effet N° 1
il éclaircit le regard

Effet N° 2
il illumine les reliefs

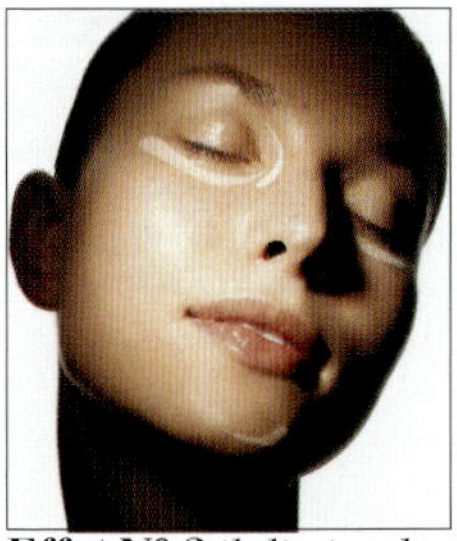

Effet N° 3 il dissimule les imperfections

LA BONNE COULEUR : celle qui colle pile à votre ton de peau ! Le but du jeu, c'est justement que ce petit malin se fonde avec elle pour vous offrir la plus parfaite immunité. On peut conseiller de le tester un à deux tons plus clair : il joue les caméléons en quelques minutes. Pigments optiques, réflecteurs de luminosité, on est loin de l'effet pâteux plâtreux des précurseurs !

CERNÉE OU PAS, ON NE PEUT QUE SE RENDRE… à ses arguments : il unifie le dessous de la paupière et atténue les ridules, efface les petits vaisseaux le long des ailes du nez, éclaircit le regard dans le coin interne de l'œil ou sur le haut de la paupière supérieure.

Il dissimule les boutons malencontreux, mais sait aussi adoucir le pli entre les sourcils, redonner le sourire à la commissure des lèvres, effacer le pli amer qui va des narines à la bouche et empêcher le bout du nez de briller.

À POSER en traits verticaux, surtout pas à l'horizontale, et en procédant par minuscules touches, en tapotant au pinceau pour le fondre : un outil de pro facile à s'approprier.

L'AVIS D'OLIVIER ÉCHAUDEMAISON (Guerlain)

Vous avez l'air fatiguée ? Une touche d'anticernes sur le lobe de chaque oreille : ni vu ni connu, effet magique garanti !

Pour camoufler un bouton : un demi-ton plus clair que le teint. Pile dessus pour ne pas déborder et sans oublier de poudrer pour fixer le résultat.

Fond de teint : vive la transparence !

L'art de l'estompe dans des textures à la fluidité maîtrisée, le ton juste et la discrétion assurée : au fond, le fond de teint n'est plus du tout ce qu'il était !

Astuce fraîcheur : on étire le fond de teint à l'aide d'une éponge en latex imbibée de lotion.

Zone T = danger ! Pour lui éviter de briller, on tamponne délicatement front, arête du nez et menton à l'aide d'un mouchoir en papier.

EN STICK (plus pratique, plus couvrant) ou **FLUIDE**, un fond de teint opposé à la nature de votre peau sera paradoxalement le plus en affinité avec elle ! Plus elle est sèche, plus vous aurez besoin d'une texture à la fois onctueuse et satinée. Plus elle sera à tendance grasse, plus il devra être léger, mat et fluide. Les produits nouvelle génération jouent l'osmose, et cumulent les arguments : ils laissent la peau respirer, l'hydratent, la protègent de la pollution et revendiquent des propriétés anti-âge...

LA COULEUR (testée le long de la mâchoire – et choisie plutôt un ton plus clair) va unifier et mettre en valeur la carnation naturelle, pas la changer. Et le redoutable effet démarcation n'existe plus.

AU DOIGT, privilégier l'effet massage, pour lisser tout en tonifiant et en se fondant à la texture de la peau.

AU PINCEAU PLAT à sec (plus il est gros, plus l'application sera facile) **À L'ÉPONGE** légèrement humidifiée à la lotion, il est indispensable d'avoir la main légère, surtout autour de l'œil où l'accumulation est responsable du seul vrai reproche que l'on peut faire à un fond de teint mal appliqué : marquer les ridules. À petites touches, on part de la zone médiane en étirant pour plus de transparence.

L'AVIS DU MAQUILLEUR PROFESSIONNEL (Stila)

En fonction de son grain de peau ou de son mode de vie – on aime certaines matières comme on aime certaines boissons, on sait si on a envie de tel type de contact avec sa peau, plus ou moins bio, plus ou moins allégé. Pour "apprivoiser" les matières, on prépare un produit en le mélangeant sur le dessus de la main, on le chauffe, on le fait vivre du bout du doigt avant de l'appliquer sur le visage.

Astuce longue durée vaporiser de la lotion au travers d'un mouchoir en papier va fixer le fond de teint.

Coup de blush effet bluff

Aussi frais que le rose aux joues d'une promenade au matin – ou de l'émotion qui afflue à fleur de peau… la touche finale à la mise en scène du teint.

UN PLACEMENT SÛR… en fonction de la forme de votre visage ! Creuser des joues un peu rondes (à partir du haut de l'oreille, on descend en forme de croissant jusque sous les pommettes)… Corriger un effet carré (on pose près de l'oreille et on estompe aux pommettes) ou un visage trop allongé (on barre la pommette à l'horizontale).

CODE COULEUR

Peaux claires : roses vifs et rouges. Peaux mates : bruns et corail. Quant au rose tendre… il les aime toutes !

AU PINCEAU pas trop large, pour estomper ces poudres micronisées, compactées, déclinant une gamme infinie de pigments, et aux antipodes de l'effet "placard".

AUX DOIGTS textures inventives, mousses ou crèmes se font poudrées une fois appliquées et ne présentent aucun des inconvénients des fards gras (ils ne marquent pas les ridules). On tapote le produit avec l'index pour la bonne dose, on estompe du maxillaire à la pommette.

Une poudre bonne mine qui sait aussi illuminer la paupière et réveiller un gloss pour jouer la vie en rose.

Matériel et matières :

- pinceau à blush
- fard crème
- blush poudre

Rayon soleil : le bon ton sans UV

L'autobronzant est la plus flatteuse et la plus périlleuse des inventions : plus que jamais, dans cette technique, le doigté est essentiel !

1

2

3

4

5

1 POUR UN BRONZAGE PARFAITEMENT UNI, toujours partir d'un bon terrain : en l'occurrence, une peau débarrassée de ses cellules mortes grâce à un gommage doux, qu'il soit biologique ou mécanique.

2 BIEN HYDRATER LA PEAU est d'autant plus nécessaire que la molécule qui provoque le bronzage (la DHA) a tendance à assécher l'épiderme en aspirant l'eau des cellules.

3 AVOIR LA MAIN LÉGÈRE : disposer de petites touches de produit sur tous les reliefs du visage – front et pommettes, nez et menton – toutes les zones que le soleil va aller hâler en premier, sans oublier les oreilles et le cou, en estompant vers le décolleté.

4 ÉTALER l'autobronzant régulièrement mais rapidement, en massant tout le visage de la pulpe des doigts... et ne pas attendre pour se laver vigoureusement les mains (et les ongles) au savon.

5 POUR ÉVITER L'EFFET ORANGÉ toujours aussi peu esthétique, passer immédiatement un Coton-Tige ou une serviette en papier humide à la racine des cheveux et au niveau des sourcils.

L'AVIS D'ALINE SCHMITT
(maquilleuse de studio)
Attendre 15 minutes après l'application avant de maquiller sa peau... le fond de teint va s'estomper, tandis que l'effet bronzant apparaîtra !

DROIT DE REGARD

3 yeux

Audacieux comme l'espoir insolite comme l'émeraude. tout un univers en vert véritable.

PALETTE D'AUTOMNE

Regard intense et blancheur givrée le feu sous la glace.

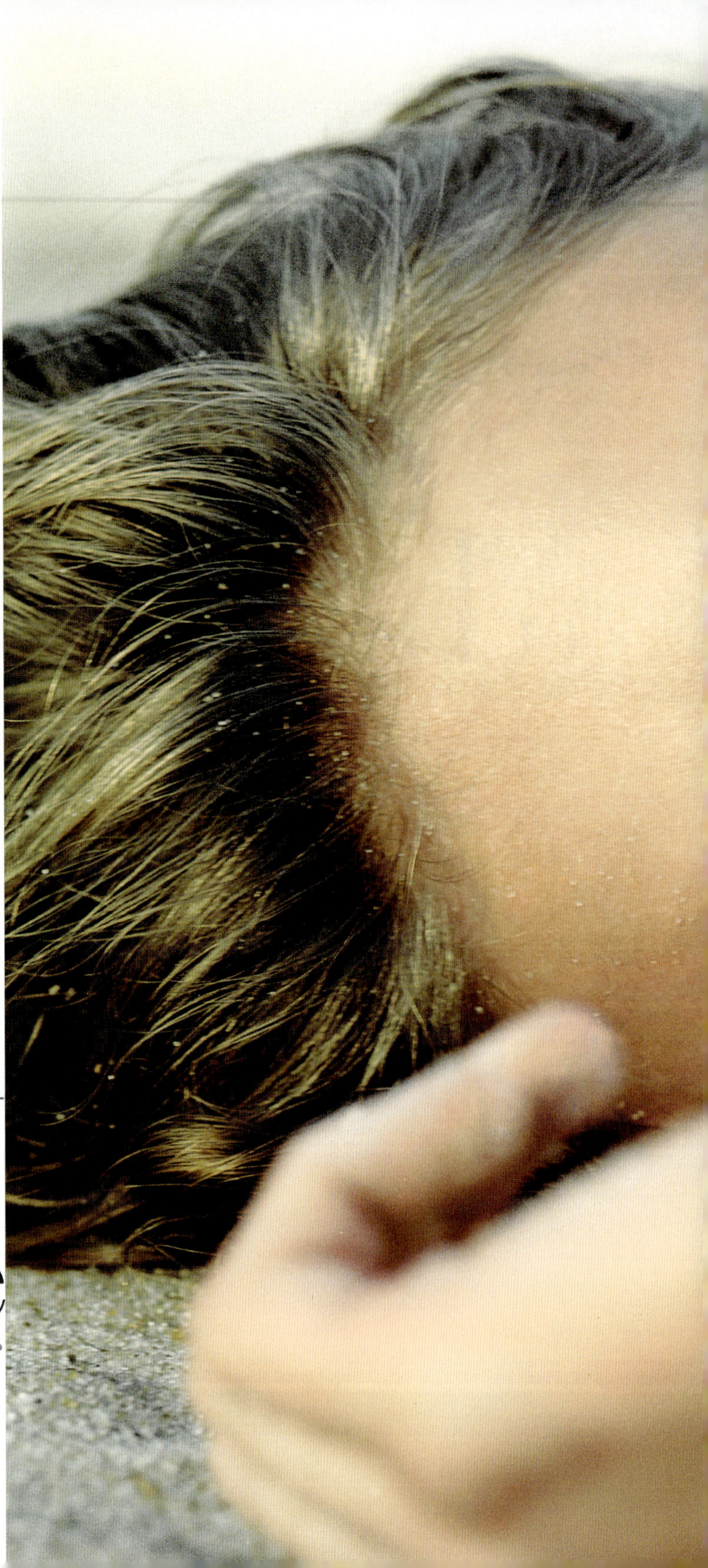

Cocktail bleu océan et vert d'eau pour sirène en Technicolor

Tours et contours

Le plus évident des outils de beauté : quoi de plus simple a priori que de manier le crayon pour exprimer sa personnalité ? Révision sans détours pour être à la pointe sur le sujet…

LA BONNE MINE (DE CRAYON) Pour bien la choisir, il est important de tester sur le dos de la main la texture qui vous conviendra. Trop sèche, ça ne marque pas et vous risquez de vous faire mal en appuyant trop, sans imprimer. Trop grasse : le trait va baver. Le véritable outil de précision, c'est la mine à la fois douce et ferme, suffisamment malléable pour suivre vos inspirations au doigt et à l'œil, savoir souligner et se travailler en estompe ou en tamis.

LE BON TON Une palette infinie, des pigments qui savent jouer sur tous les registres, du mat au brillant, du lustré au nacré en apportant au regard une profondeur incroyable. Les tons sombrement précieux exaltent les iris bleus et verts, mais réveillent l'or des noisettes ou des bruns plus foncés.

LE BON GESTE DE TERRY (BY TERRY)
Toujours maintenir la paupière d'un doigt avant de faire glisser la mine le long de la paupière, afin que les pigments adhèrent mieux.

Sur la paupière inférieure, un trait assez épais au ras des cils à évaser vers le coin externe pour rattraper le tracé du haut. Le regard va être étiré, agrandi et sublimé !

L'AVIS DE NICOLAS DEGENNES (Givenchy)
Comme au cinéma : avant de se coucher, poser un trait de khôl noir à l'intérieur de l'œil parfaitement démaquillé : magique, on se réveille avec l'œil fait, il suffit d'un Coton-Tige pour nettoyer ce qui a débordé !

Matériel… et matières
Vos crayons méritent un taille-crayon spécialement dédié : pas question d'utiliser un taille-crayon à papier, mal adapté et peu hygiénique.

Une mine d'inspiration

Suite de l'atelier d'écriture : sculpter son regard, mine de rien, c'est tout un art…

CRAYON KHÔL à chauffer sur la main (ou sur une ampoule) : les couleurs seront d'autant plus en affinité avec la paupière. Appliqué entre les cils, il approfondit le regard. Tirer légèrement sur l'arcade sourcilière permet de maquiller les cils par en dessous. Estomper au pinceau, sans fermer l'angle externe – ce qui donnerait un effet lourd.

DE L'ART D'EN FAIRE UNE OMBRE À PAUPIÈRES on crayonne par petites hachures en zigzag en partant de la base des cils, et on donne du flou : l'estompe se fait soit au doigt (trempé éventuellement dans votre crème contour des yeux) soit au pinceau. Le but, retrouver de la transparence. On maquille la paupière mobile en la tenant pour maîtriser son trait, et en débordant légèrement au-dessus pour creuser sans enfoncer, ce qui donne un coup de jeune au regard, selon Terry.

À PRÉFÉRER

AU TRAIT FONCÉ SOUS L'ŒIL, AU RAS DES CILS…

Pour corriger des yeux trop rapprochés commencer au crayon clair depuis le coin interne jusqu'à mi-parcours, et terminer au crayon foncé

Pour corriger un regard tombant commencer par la couleur foncée puis enchaîner au crayon clair…

L'AVIS DE TERRY (by Terry)

Une touche d'éclat mauve, couleur claire et froide, appliquée autour de l'œil, éclaire le regard et donne l'impression d'un œil reposé.

En ligne de mire d'un seul trait d'une seule traite

L'œil en première ligne

Le grand retour de la star des seventies... dans de nouvelles textures, gel ou fluides, pinceau intégré ou non, qui vous invitent à toutes les audaces calligraphiques !

1 **BICHE, Ô MA BICHE Paupière supérieure** : pour éviter les dérapages incontrôlés, bien tendre la paupière d'un doigt et de l'autre tirer un trait très fin à partir du coin interne de l'œil : on élargit peu à peu à l'épaisseur souhaitée jusqu'à la moitié de l'œil, et l'on fait le lien en partant cette fois de l'extérieur, à l'aplomb de la ligne des sourcils, et en unifiant. **Paupière inférieure** : même procédé, un trait fin partant des deux extrémités pour se rejoindre – et remontant légèrement vers l'extérieur.

2 **TON SUR TON Paupière supérieure** : un camaïeu d'ombres à paupières estompé subtilement, remontant du plus foncé au plus clair, et parachevé d'un trait dans la couleur de l'iris au ras des cils : le raffinement absolu ! **Paupière inférieure** : un trait assez marqué, débordant légèrement sur l'intérieur de l'œil, va donner au regard une intensité immédiate.

3 **ILLUSIONS (D'OPTIQUE) ! Agrandir l'œil** en soulignant la paupière supérieure : partie de l'angle interne, une ligne remonte vers l'oreille et va magnifier le regard. **Corriger un regard "tombant"** souligner la paupière inférieure, en éloignant le trait de la bordure des cils au fur et à mesure que l'on se rapproche du nez.

L'AVIS DE PATRICK LORENTZ (Estée Lauder)

Ne pas surcharger le pinceau, le choisir systématiquement fin et souple. C'est le meilleur moyen d'éviter un trait qui bave et un eye-liner qui coule.

Frange sublime barrière de rêve où perle l'émotion

D'un simple battement de cils

Allongés, divinement recourbés, on met le volume au maximum, pour des cils plus glamoureux que jamais... grâce aux mascaras qui habillent et mettent en scène le regard.

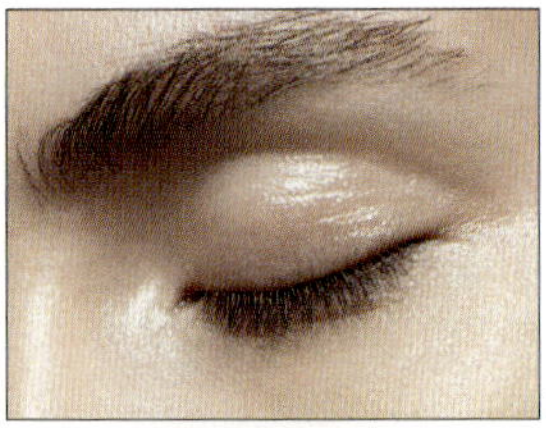
1

2

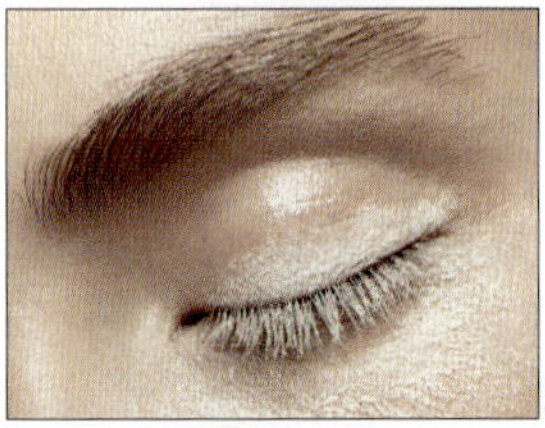
3

4

5

1 Le bon **point de départ** : des cils intégralement nettoyés de toute trace de mascara, et des paupières apaisées par une touche de crème anticernes.

2 La **courbe idéale** ? Vive le recourbe-cils, très apprécié des grands maquilleurs : il ne s'utilise que sur des cils nus (il casse les cils maquillés).

3 Une façon de **donner de l'épaisseur** avant de poser le mascara : un (très léger) nuage de poudre transparente.

4 Si vous utilisez un mascara en deux étapes, commencez par appliquer la **base claire,** à base de fibres de cellulose, qui allonge et épaissit tout en traitant le cil et permet de visualiser le résultat final.

5 Le mascara s'applique par-dessus, puis longuement par-dessous, en continuant le mouvement de courbe. **Pour plus de volume** : laisser la brosse immobile quelques secondes sur la pointe des cils recourbés. Partir de la racine pour gainer les cils bien droit au lieu de les étirer vers l'extérieur. Laisser sécher... Recommencer jusqu'au résultat souhaité.

L'AVIS DE IRÈNE OBERRAUCH
(maquilleuse de studio)
Bien refermer pour éviter que votre mascara ne se dessèche. On fait souvent des mouvements de va-et-vient en pensant stimuler la production de mascara sur la brosse : en fait, cela ne contribue qu'à l'assécher en faisant entrer de l'air dans le réservoir.

Trop faux, trop beaux !

On n'a plus aucune raison de s'en priver : les faux cils jouent désormais les prolongations avec un naturel confondant… et vous permettent des effets grand soir.

1 Pour avoir une idée du résultat final, il suffit de placer les faux cils au-dessus des vôtres : si vous les trouvez trop longs, ne pas hésiter à égaliser aux ciseaux – en y allant franchement pour garder un joli dessin.

2 Glisser un mince filet de colle tout au long de la bordure de la frange de faux cils – en insistant avec une goutte de plus aux deux extrémités, plus exposées à se décoller. Souffler sur la colle quelques secondes facilitera l'adhérence.

3 Poser en partant du coin interne et en suivant rigoureusement la ligne des cils.

4 Profiter du temps de séchage pour parfaire la pose en tapotant légèrement avec le bout d'un pinceau, en évitant de ciller pour que la colle adhère parfaitement.

5 Parachever le résultat d'un trait d'eye-liner très fin, à estomper pour dissimuler la ligne de démarcation entre vrai et faux – une application de mascara finira de donner un aspect naturel.

L'AVIS DE LOUISE WITTLICH (maquilleuse de studio)
Prendre son temps, bien finaliser un œil avant de commencer l'autre.

Comment les retirer ?
En les décollant délicatement, à partir du bord extérieur. Les éventuelles traces de colle s'enlèvent facilement avec de l'huile d'amande douce.

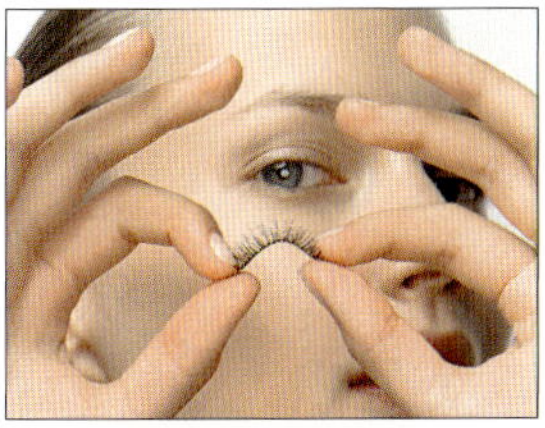
1

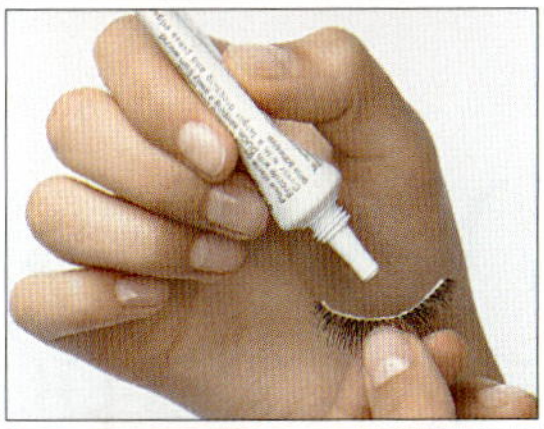
2

3

4

5

L'ŒIL : FARDS...

Ombres poudrées estompées pour le plus vivant des tableaux

Des fumés pleins de feu

Quand l'ombre fait paradoxalement la démonstration que des tons "charbonnés" apportent de la lumière au regard. Habilement dosé, le prune va à toutes les prunelles !

1

2

1 POUR ÉTIRER L'ŒIL, poser une nuance plus claire vers l'intérieur de l'œil et garder la plus foncée pour l'extérieur. Si vous optez pour la transparence, le pinceau est le bon allié.

2 POUR UN ASPECT PLUS DENSE, comme sur l'extérieur de l'œil, utiliser l'estompe, préalablement humidifiée pour donner une meilleure tenue et rendre la couleur plus intense.

PLUS GRANDS... Une petite touche irisée au coin de l'œil agrandira le regard, ainsi qu'une nuance de fard plus clair sous les sourcils.

PLUS PROFONDS... Déborder légèrement sur l'extérieur allongera l'œil. Prolonger en halo vers l'arcade (photo de droite) donnera plus de profondeur. **Un trait de khôl prune** ajoute une touche plus "soir".

L'AVIS DE SUZANNE STERLING (Chanel)

Un pinceau plat, à bout carré pour appliquer l'ombre à paupières, à estomper ensuite avec un pinceau à bout rond. Pour agrandir l'œil : une touche claire posée pile au milieu de la paupière supérieure

Matériel et matières

- pinceau carré
- pinceau rond
- fard prune
- fard irisé clair

Magic métal

Pluie d'or et poudre d'argent : ce maquillage, raffiné et précieux mais pas tape-à-l'œil, ne pouvait être que l'œuvre d'un orfèvre... Que la fête commence !

1 Le **recourbe-cils** – sur cils nus, toujours – s'utilise au plus près de la racine. Il évite de surcharger en mascara, celui-ci servant juste à donner le ton et à soutenir le regard.

2 L'**anticernes**, à estomper sous l'œil, du coin interne à l'extérieur, en suivant la ligne des cils.

3 Appliquer **au pinceau** la première couche cuivrée, sur la partie inférieure de la paupière mobile, en partant de l'intérieur, puis sur tout le dessous de l'œil. Ajouter la note argent, en estompant le fard jusqu'aux sourcils.

4 Dessiner un V nacré sur le coin de l'œil pour donner **un spot de lumière**.

5 En tenant la paupière tendue, dessiner **un fin trait d'eye-liner liner**, de l'intérieur en remontant, puis terminer par le mascara.

L'AVIS DE JAMES KALIARDOS (L'Oréal Paris)

Préférez un crayon khôl si vous ne voulez pas vous risquer à jouer l'eye-liner.

Matériel et matières

- recourbe-cils
- pinceau étroit
- pinceau large
- anticernes
- fard cuivré
- fard argent
- eye-liner

Iris irisé

Diamant rose et nacre mauve : un irrésistible mariage qui illumine toute la palette des regards.

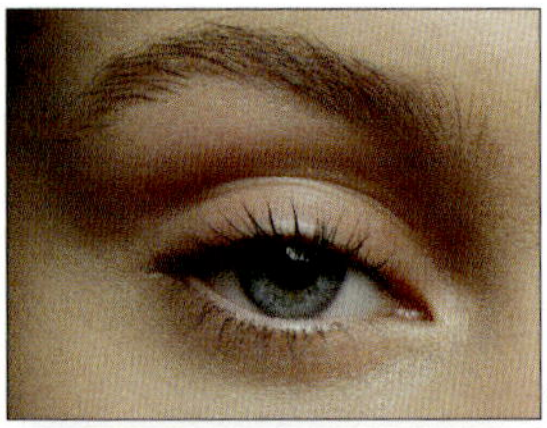

1

2

3

4

5

1 Sourcils parfaitement brossés, cils recourbés au recourbe-cils, on laisse la paupière nue : le fard crème est censé adhérer sans filer, parfaitement.

2 L'œil fermé, on applique au pinceau plat, au bord des cils, la totalité du fard rose destiné à être estompé ensuite sur toute la paupière.

3 À l'aide d'un autre pinceau, plus large et sans fard, pour que l'effet de transparence soit parfaitement réussi, dégrader jusqu'à l'arcade sourcilière.

4 Un trait de mauve sous l'œil, de l'intérieur vers l'extérieur (en regardant en l'air).

5 Estomper au doigt pour un effet encore plus sophistiqué, en allant vers les tempes, avant de poser le mascara.

L'AVIS DE JULIE NOZIERS
(maquilleuse de studio)
Utiliser de la poudre translucide si le résultat est trop "brillant". Et pour une tenue parfaite, ne poudrer le contour de l'œil qu'une fois le maquillage intégralement terminé.

Matériel et matières

- recourbe-cils
- pinceau étroit
- pinceau large
- fard crème rose
- fard crème mauve

La douceur du velours

Un écrin poudré pour exalter le brillant du regard et lui donner profondeur et mystère : un gris mat et feutré qui va vous obéir… au doigt et à l'œil !

APPLIQUÉS AU DOIGT, comme le recommande, pour ce type de textures, Olivier Échaudemaison, les tons fumés de ce fard crémeux vont jouer à plaisir les dégradés.

ILS S'ADAPTENT en fonction de l'intensité choisie à tous les instants de la journée. Les pigments micronisés permettent des couleurs à la fois denses et transparentes, des teintes voilées très flatteuses.

On peut appliquer la teinte la plus sombre sur l'ensemble de la paupière, avant de l'estomper et de superposer une teinte plus claire.

POUR LE SOIR, on peut remonter jusqu'à l'arcade sourcilière et s'en faire un halo en soulignant le dessous de l'œil.

Il vaut mieux avoir la main légère sur le mascara, qui n'a pas besoin, dans ce cas, d'être trop présent : **préférer la longueur au volume**.

Un dégradé en estompe, habillant toute la paupière et éclairant l'arcade sourcilière

L'AVIS D'OLIVIER ÉCHAUDEMAISON (Guerlain)

Alternative élégante au noir, souvent trop contrasté, le gris fumé va permettre un maquillage cendré très raffiné, donnant aux yeux foncés une plus grande intensité, et apportant limpidité et profondeur aux yeux plus clairs.

Matériel et matières

- fard crème gris fumé
- mascara allongeant

Lunettes et conseils à la loupe

Porter des lunettes ? Un atout beauté de plus… À condition de préserver l'impact de votre regard et de doser vos effets avec subtilité.

LUNETTES : EN VERRE ET AVEC TOUT

Quelle que soit la forme des montures, une précaution de base, indispensable : choisir des verres antireflet totalement limpides (Crizal Alizé Essilor) qui vont restituer intacte la beauté de votre regard. Il suffit de faire l'expérience pour savoir qu'un verre non traité ruine instantanément vos efforts !

SI VOUS ÊTES MYOPE : vos verres vont avoir tendance à rapetisser vos yeux. Il faudra forcer un peu le trait côté crayon ou eye-liner et insister en particulier sur le mascara.

SI VOUS ÊTES HYPERMÉTROPE OU PRESBYTE : vos yeux paraîtront plus grands. Flatteur, certes, sauf que l'effet loupe ne laisse rien passer. James Kaliardos recommande de choisir avec beaucoup de soin ses pinceaux et brosses à mascara, afin d'avoir des cils bien séparés et qui ne font pas de paquets inesthétiques. Quant aux ombres à paupières, elles doivent être, pour les mêmes raisons, estompées avec beaucoup de soin.

L'AVIS DE JAMES KALIARDOS (L'Oréal Paris)
choisir vos pinceaux en fonction de l'usage bien particulier auquel vous les destinez et les nettoyer régulièrement, surtout pour cette zone fragile, sujette aux allergies.

Retouches :
pour corriger les erreurs de mascara ou les éventuelles coulures d'eye-liner, on efface les taches à l'aide d'un Coton-Tige humecté de crème contour des yeux, puis que l'on trempe dans la poudre libre là où il va falloir remaquiller.

Architectes du regard. expression d'une personnalité . incontournables

Tout pour garder la ligne !

Droite, arquée, en virgule, en accent circonflexe… Déterminante pour habiller et souligner votre regard, structurer votre visage et déterminer vos points forts, votre ligne de sourcils en dit beaucoup sur vous !

1

2

ÉPILATION MAISON : les sourcils brossés à rebrousse-poil, puis lissés dans le bon sens, tendre fermement la peau entre le pouce et l'index, et arracher dans le sens du poil ceux qui dépassent. Surtout pas d'excès : ne toucher qu'à ceux du dessous, en amincissant la ligne au fur et à mesure que l'on remonte vers l'extérieur. Il faut que le "cœur" reste dense. Contrôler ensuite régulièrement les petites repousses pour "nettoyer" l'arcade.

TROMPE-L'ŒIL POUR RÉÉQUILIBRER LE VISAGE :

Si vos yeux sont trop rapprochés, dessinez vos sourcils à partir du coin interne de l'œil, mais arrêtez la ligne au niveau de l'angle externe.

Pour rajeunir le regard : des sourcils plus courts, s'arrêtant avant l'extérieur de l'œil – alors que le sourcil tombant attriste le visage. Une ligne nette, bien dessinée, donne de l'énergie à l'expression. Rehausser la ligne tonifie et évite tout aspect négligé.

COURS DE CRAYON Une fois les cils brossés, le crayon, choisi dans le ton (ou à peine plus clair, jamais plus foncé !) que vos sourcils, va permettre de densifier, voire de combler les manques (y compris de réparer les erreurs de jeunesse) à petits traits fins, tracés avec soin dans le sens des poils qu'ils vont reproduire, toujours vers le haut et vers l'extérieur… Finir en estompant au Coton-Tige.

L'AVIS DE NICOLAS DEGENNES (Givenchy)

Préférer le crayon au fard – qui donne un rendu trop "dur" – pour souligner le dessus du sourcil, jamais le dessous.

La bonne longueur : du coin interne au coin externe de l'œil, à l'aplomb de la base du nez. La prudence enjoint de confier la première fois à une esthéticienne.

Matériel et matières

- pince à épiler
- brosse à sourcils
- crayon à sourcils à mine ferme

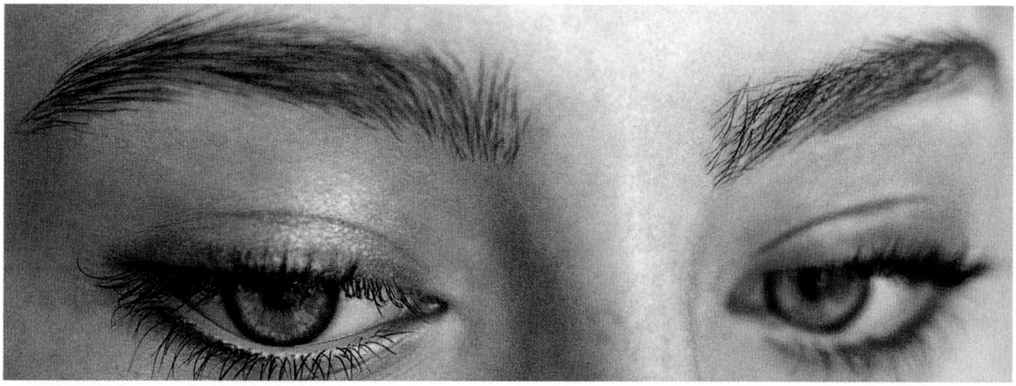
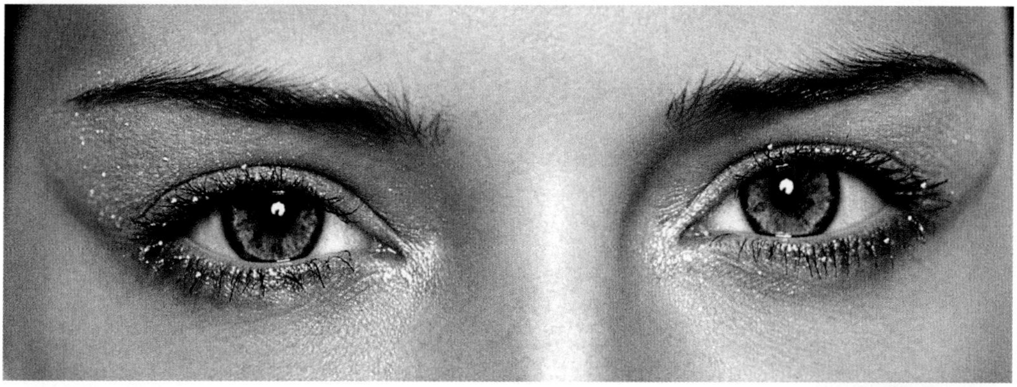
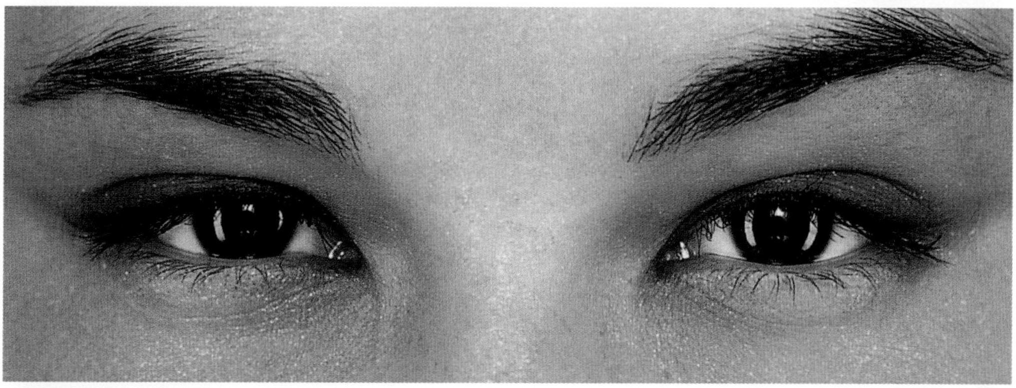

Brooke ou Audrey... regard star !

Spectaculaire : des sourcils travaillés changent radicalement la physionomie. Ce sont eux qui "accrochent" le regard : pas question de négliger vos plus précieux alliés !

1

2

3

4

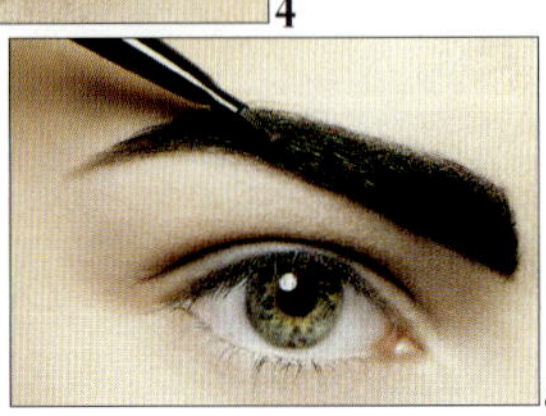
5

1 À LA BROOKE SHIELDS (TOM PECHEUX, SHISEIDO) Les "portemanteaux" du visage sont **travaillés droits**, sans cassure, authentiques et fournis, on les brosse droit vers le haut pour donner l'impression d'une plus grande largeur.

2 On remplit au crayon (noir à marron foncé pour les brunes, gris à marron clair pour les blondes) par touches verticales, en partant du bas.

3 On estompe au goupillon, puis on épaissit d'une couche de mascara qui va donner également du volume.

4 À LA AUDREY HEPBURN (TERRY, BY TERRY) Un sourcil intense, sculpté : **on remplit au crayon** en allant du nez vers l'extérieur, dans un ton soutenu en harmonie avec les cheveux.

5 On lisse au pinceau, en redessinant une ligne impeccable et une extrémité fine : il épouse la forme du sourcil et le farde dans la masse. Touche finale : massage à l'huile sèche ou mascara transparent.

Matériel et matières

- pince à épiler pro
- brosse à sourcils
- pinceau à sourcils à poils durs, taillé en biseau
- goupillon
- crayon à sourcils
- mascara à sourcils

4
bouche
SUR MES LÈVRES

Naturellement nature éperdument rose, un maquillage léger comme un souffle.

PALETTE D'AUTOMNE

Plein fard sur l'art ultime du rouge de Chine laqué miroir.

Friandise
exquise
brillant
gourmand :
à croquer !

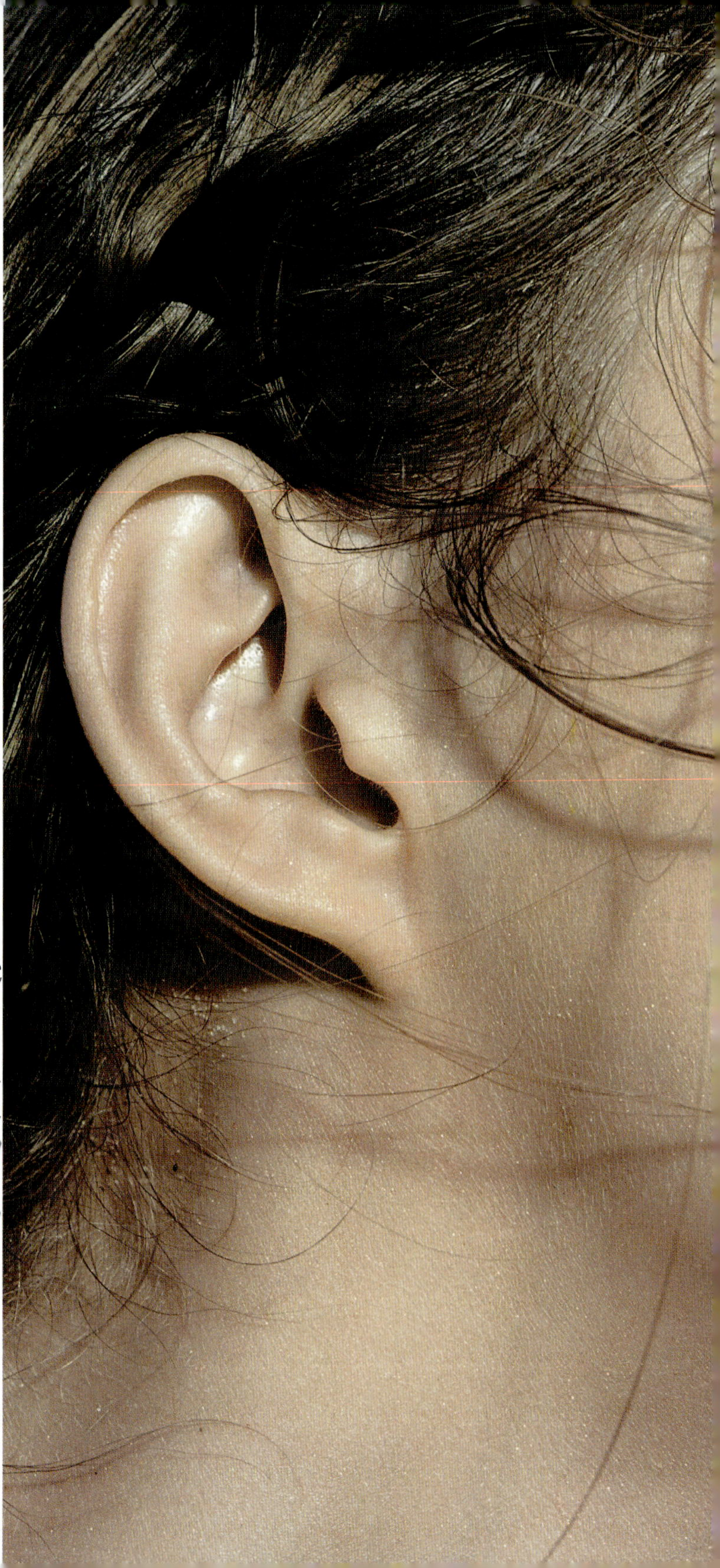

Rouge intense ou nude sensuel ?

Choisir son rouge ? En fonction de sa carnation, de la couleur des cheveux et des yeux, de la forme de la bouche… Mais plus rien n'est imposé : à bas les stéréotypes, on se fait plaisir sur tous les tons !

BLONDE OU BRUNE Halte aux idées reçues ! Un vrai rouge peut être sublime sur une blonde, façon Hitchcock, et un beige somptueux sur une brune. **On n'est plus non plus dans le monochrome** où l'on coordonne tout (bouche/blush/paupières), mais dans le détail fort qui compte. Si on met l'accent sur les lèvres, on restera plus light côté regard.

PETITE BOUCHE il vaut mieux aller vers du très clair, du beige (ou "nude"), avec lequel on va pouvoir tricher sur l'épaisseur. Une couleur trop foncée aura tendance à accentuer la minceur des lèvres.

BOUCHE CHARNUE elle appelle un ton plus foncé, qui va donner, paradoxalement, moins d'importance aux lèvres.

UN VRAI ROUGE ça se porte en étendard ! C'est un choix, un vrai. Mais **plus il sera brillant, plus il sera facile à porter** : autant le rouge mat durcit le visage, autant le rouge glossy, ultraflatteur, joue les embellisseurs. Parce qu'un rouge intense fait des miracles : il rend les dents plus blanches, a un effet blush et donne instantanément une note sophistiquée.

L'AVIS DE NOLWENN DU LAZ (journaliste à Marie Claire)
Vous voulez vous lancer dans une tonalité inédite ? Testez votre rouge dans la journée et attendez les réactions : si vous avez le feu… vert, vous pourrez l'assumer à la soirée dont vous attendez tellement !

Au doigt et au crayon

La manière d'appliquer "son" rouge est une vraie question de fond : vive la couleur sans l'épaisseur ! Et place au crayon pour tout corriger avec beaucoup de subtilité.

1 AU DOIGT Une bouche naturelle, au dessin délibérément imprécis, avec un côté tendre, fondu : on va cueillir sur la pulpe de l'index le rouge que l'on va délicatement tapoter d'une commissure à l'autre – sans oublier l'intérieur de la lèvre –, pour un irrésistible effet "bouche mordue".

2 LE CRAYON n'a pas seulement un rôle esthétique : il redessine certes les contours, mais il empêche aussi le rouge de filer et de s'insinuer dans les ridules autour des lèvres. Il permet un traité mat, en hachures régulières, et se lisse au doigt.

PETIT COURS DE CONTOURS

Corriger des lèvres… tombantes : une pointe d'anti-cernes à chaque commissure avant de rectifier le tracé au crayon en remontant légèrement vers la lèvre supérieure**… trop fines :** un trait de crayon beige au-delà des limites permettra de déborder légèrement de la ligne naturelle, en dégradant le trait vers l'intérieur des lèvres… mais en préférant toujours couleurs claires et textures irisées**… trop épaisses :** une couche de fond de teint sur toute la bouche, un trait de crayon à l'intérieur du tracé, un léger dégradé de couleurs en allant vers les coins des lèvres. Et évitez les tons trop foncés : ils attirent le regard, pas forcément l'admiration.

1

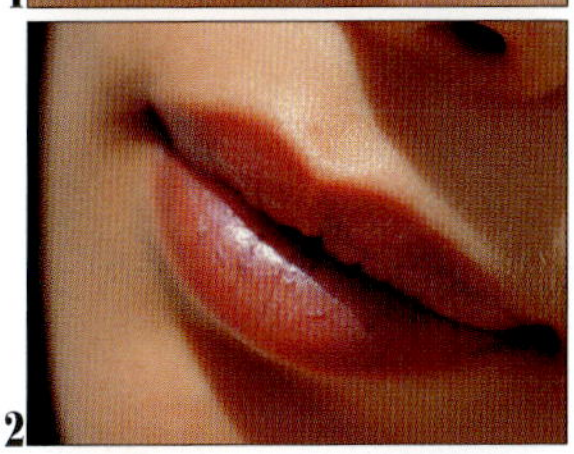
2

3

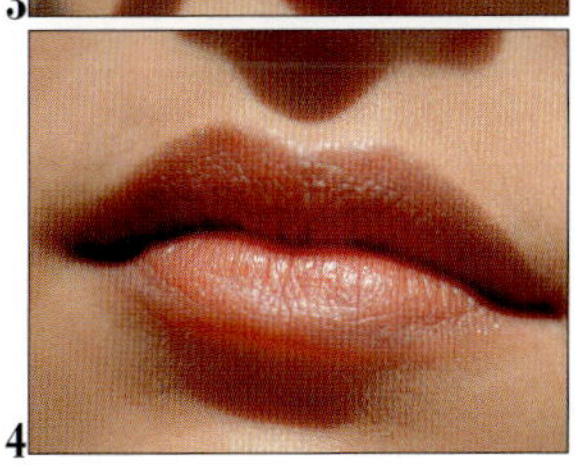
4

L'AVIS DE TERRY (by Terry)
Le secret du mille-feuille crayonné

Une technique spectaculaire : lèvres déjà fardées, on trace une série de hachures verticales, au crayon onctueux, avant d'appliquer une deuxième couche de rouge. Enfin, dernier trait de crayon pour "sceller" le tout. Magnifique effet trompe-l'œil et tenue exceptionnelle.

Matériel et matières
- rouge à lèvres
- crayon

Raisin : un tube indémodable

Le tube des tubes : toujours réinventé, le fameux rouge "canon", né de la géniale inspiration de Mademoiselle Chanel, reste le plus élégant des gestes de beauté…

1

2

1 LES GRANDS CRUS DU ROUGE… À MÊME LE TUBE Le goût du raisin, cueilli à fleur de lèvres, c'est la sensualité incarnée… Féminissime, cet irrésistible réflexe de beauté est servi par une inépuisable gamme de tubes qui rivalisent d'invention et de créativité pour se faire bijoux, miroirs…

2 AU PINCEAU On prélève à même le raisin une touche de rouge que l'on va "travailler" sur la main. Cette technique a tous les avantages : on va pouvoir chauffer la matière, qui sera du même coup en harmonie avec la température de la peau et se fondra beaucoup plus harmonieusement. Cela va également vous permettre de jouer à **mélanger plusieurs tons de rouges**, pour obtenir votre teinte sur mesure ou de très flatteurs effets 3D.

L'AVIS DU MAQUILLEUR PROFESSIONNEL (Stila)
Un seul pinceau va permettre à la fois de dessiner les contours de la bouche et de "colorier" l'intérieur de vos lèvres.

Matériel et matières
- rouge à lèvres
- pinceau fin et plat

Les secrets du pulpe-fruité

Une bouche fruit rouge, brillante et appétissante, ça se mérite. Toutes les étapes pour un fini éblouissant.

1 GOMMER-LISSER : la bouche aussi a besoin de se débarrasser des petites peaux mortes. On choisit une formule gommante très douce, spécial visage. Une brosse à dents souple (et réservée à cet usage) peut être utilisée pour un lissage efficace.

2 NOURRIR : une crème baume ultrariche (voire de la vaseline), appliquée généreusement, à retirer au Coton-Tige après quelques minutes de pose.

3 CONTOURS : le crayon joue son rôle de garde-fou. Il se choisit dans la même teinte, mais un ton au-dessous du rouge. Les crayons couleur chair vont bien au teint des plus pâles, et donnent un effet volume extrêmement intéressant.

4 ROUGE AU PINCEAU : passer les deux faces du pinceau sur le raisin et commencer par l'intérieur des lèvres, en montant par petites touches jusqu'à remplir les contours.

5 QUE ÇA BRILLE ! Le gloss va parachever votre œuvre : juste centré, en simple touche au milieu des lèvres, il produira un pulpeux effet 3D… mais vous pouvez parfaitement le jouer sur toute la surface des lèvres.

Matériel et matières
- crayon à mine souple
- pinceau à lèvres plat (maxi 5 mm)
- rouge riche
- gloss transparent ou de la même couleur que le rouge.

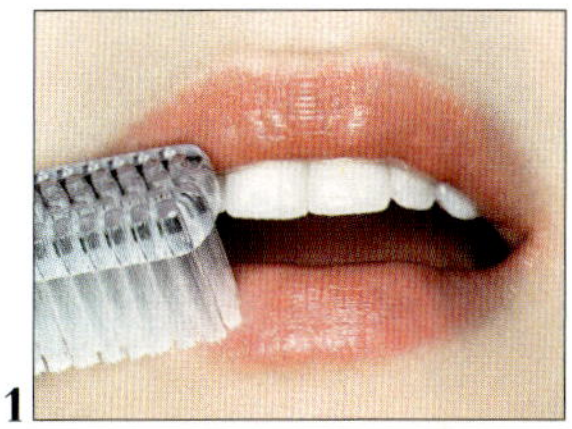
1

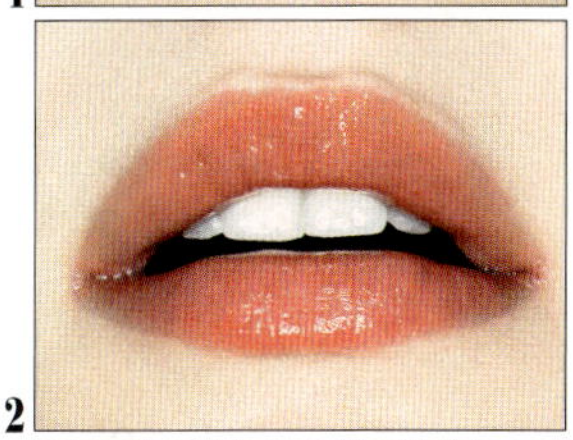
2

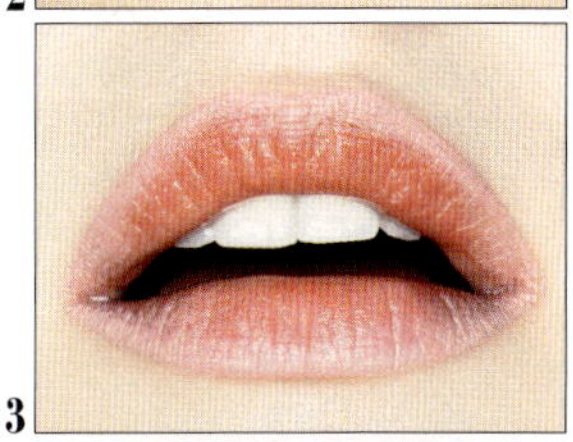
3

4

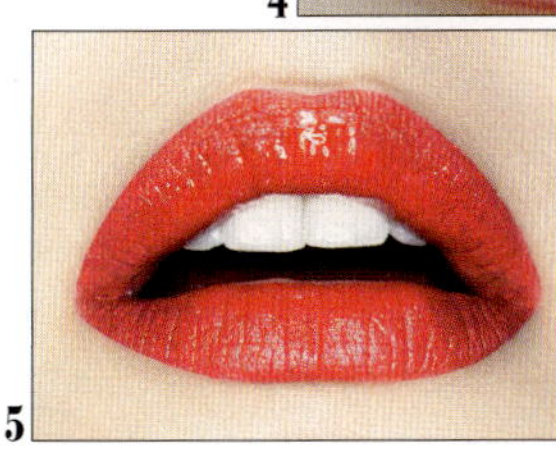
5

SUR LE BOUT DES DOIGTS

5 ongles

Corail coquillage ou coquelicot la touche colorée.

PALETTE D'AUTOMNE

La griffe infiniment racée des Belles en ville.

Manucure express

Les ongles sont tout sauf accessoires : que l'on choisisse de faire dans le chic ou dans le choc, ils griffent vos mains d'un indéniable pouvoir de séduction.

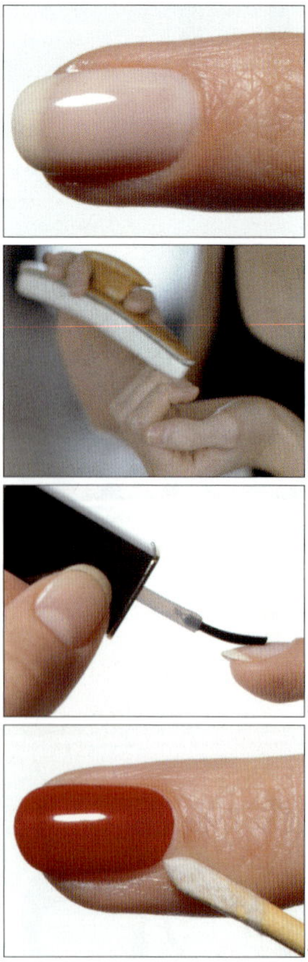

1 2 3 4

1 DES MAINS CHOYÉES Une bonne prise en main passe par des soins constants : le dessous des ongles irréprochable, des lunules chouchoutées, des cuticules repoussées, la traque de la moindre petite "envie" rebelle – grâce au réflexe quotidien de la crème hydratante ou nourrissante suivant la nature de votre peau ou votre âge. **La taille idéale ?** Ni trop long, ni trop court, en suivant la ligne du sourire (la forme du bout des doigts), le carré arrondi restant le *must*.

2 PONCER-LISSER des ongles naturellement polis comme de petits coquillages, à laisser nature ou idéalement préparés pour une mise en beauté "miroir" : la moindre aspérité sur l'ongle est visible !

3 LA BONNE BASE indispensable avant toute pose de vernis, elle protège et empêche l'ongle de se teinter dans la masse.

4 LAQUES SEXY ultra-brillantes, avec une intensité de couleurs insensée, des temps de séchage record et une tenue multipliée… les vernis offrent des performances jamais atteintes. Régalez-vous, en sachant rester vigilante : rien de plus négligé qu'un vernis écaillé !

L'AVIS DE LA MANUCURE
Gisèle Pommier (L'onglerie)

On prend en une seule fois la quantité nécessaire pour faire tout l'ongle – en remettant l'éventuelle goutte de trop dans le flacon. Mais contrairement aux idées reçues, on pose le pinceau au milieu de l'ongle, en partant du bord et on avance en éventail vers la base, en terminant par les côtés – en laissant un espace de chaque côté.

Matériel et matières
- bâtonnets de buis
- lime à ongles (carton, verre, céramique)
- râpe ou pierre ponce
- pince à ongles
- coupe-ongles
- brosse à ongles
- crème gommante
- crème exfoliante
- solution émolliente
- base, vernis couleur, topcoat flacon ou spray activateur.

La french un top international

Raffinée, flatteuse dès que l'on est un peu hâlée, la discrète élégance de la plus star des manucures demande soin et doigté. Mode d'emploi pour ne pas déraper.

1 LIMER L'ONGLE, débarrassé de toute trace de vernis, assez court, soit en léger carré, soit en arrondi, mais toujours dans le même sens : ce sont les mouvements de va-et-vient qui le dédoublent.

2 COUPER LES PEAUX à la pince. Repousser les cuticules, après les avoir enduites d'une crème émolliente, à l'aide d'un bâtonnet de buis.

3 POSER LE VERNIS BLANC avec délicatesse, en suivant le bord naturel de l'ongle, en vous aidant éventuellement d'autocollants ou d'un kit pinceau incurvé : les débords se rattrapent au stylo à dissolvant.

4 PASSER AU BEIGE OU AU ROSE : dès que le vernis opaque est parfaitement sec, recouvrez entièrement l'ongle du vernis transparent, qui donnera au blanc un aspect naturel. Vous pourrez, une fois que vous aurez la main très sûre, vous lancer dans la french colorée (photo page 130) ou, pour une fête, remplacer le blanc par de l'or ou de l'argent.

5 LE "TOP COAT", prolongateur et brillant, est la dernière touche indispensable pour un fini impeccable et une durée à la hauteur de vos efforts. Terminez par une crème ou une huile nourrissante.

L'AVIS DE ODILE SIBUET (manucure)

Les kits autocollants sont extrêmement pratiques : ils laissent accessibles le bord libre de l'ongle et l'on est guidée pour dessiner un croissant parfait. Il suffit d'attendre que le blanc soit parfaitement sec pour enlever le cache.

Matériel et matières

- lime
- bâtonnet de buis
- crème émolliente
- vernis opaque blanc
- vernis beige ou rose
- top coat

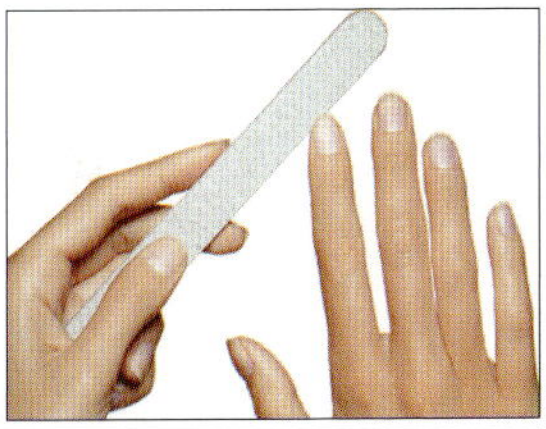

1

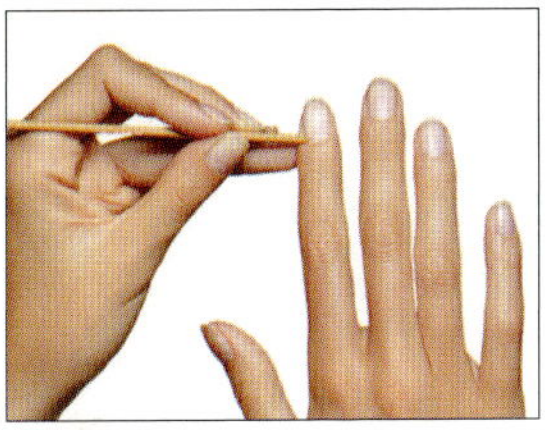

2

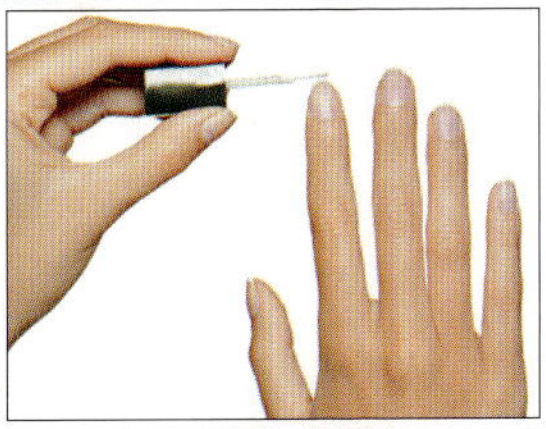

3

4

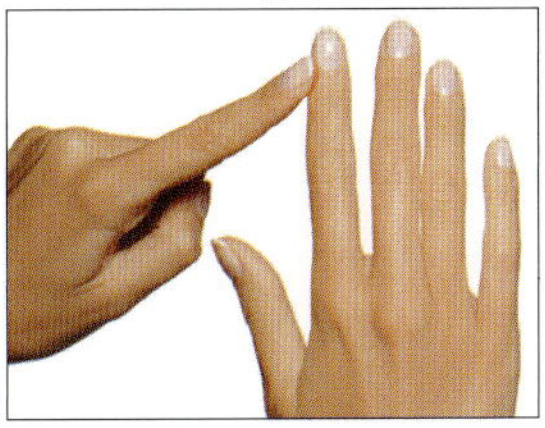

5

La beauté à mes pieds

Dès les premiers beaux jours, les sandales sont le prétexte à montrer au monde entier des bijoux de petits pieds. Les conseils d'un expert, pédicure podologue.

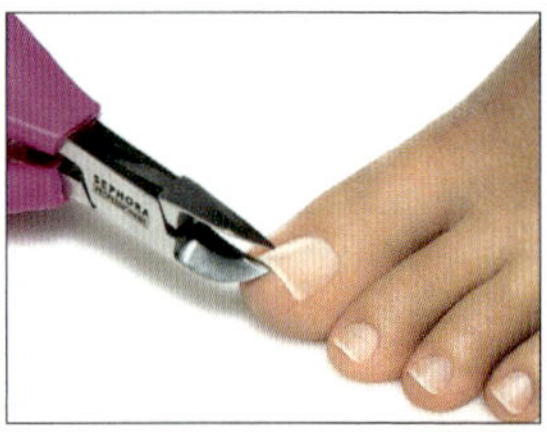
1

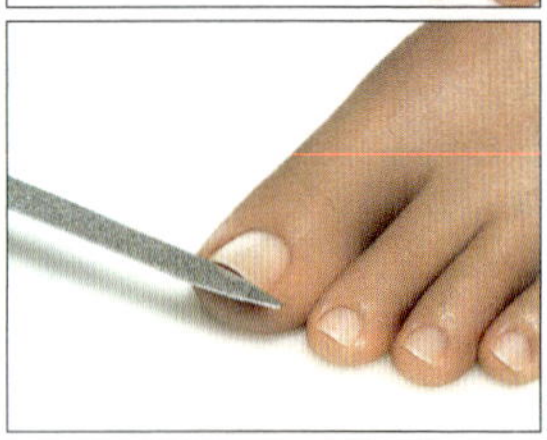
2

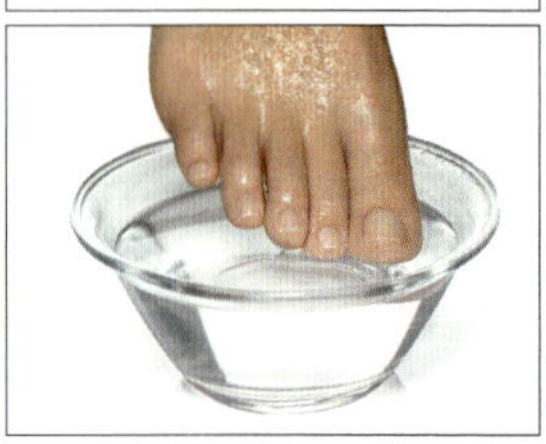
3

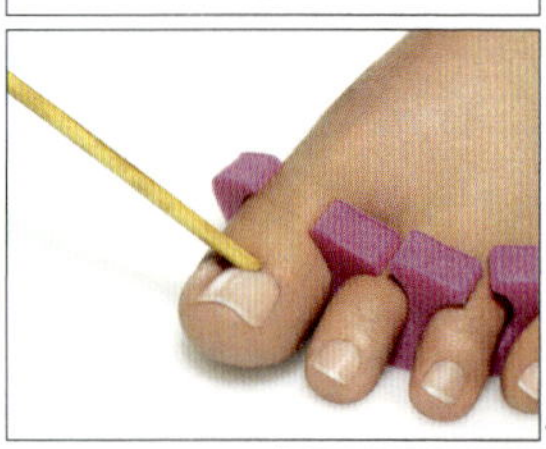
4

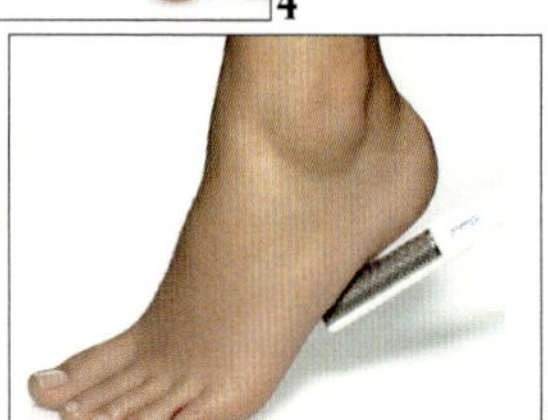
5

1 **COUPER** les ongles avec une pince, égaliser en "carré arrondi" à la lime. Attention, des ongles trop courts dans les coins risquent de s'incarner.

2 **GOMMER, PUIS PLONGER** les pieds 10 minutes dans un bain tiède, avec huiles essentielles, billes, sels de bains… En profiter pour brosser les ongles.

3 Dès la sortie du bain ou après quelques secondes dans une solution émolliente, **REPOUSSER** les cuticules à l'aide d'un bâtonnet de buis, poncer les ongles avec un bloc aux grains du plus au moins abrasif, puis appliquer une huile essentielle en massant légèrement la base.

4 **PONCER** callosités et autres durillons avec une râpe ou une pierre ponce pour les petites zones. Certains cors peuvent disparaître à l'aide d'une crème kératolytique (à utiliser avec grande prudence) ; sinon courez chez votre pédicure médical.

5 Longue séance de **MASSAGE** avec votre crème préférée (hydratante, kérato-régulatrice, apaisante…). Avec un coton imbibé de dissolvant, dégraissez vos ongles, séparez vos orteils, vous êtes prête à oser la french pédicure (voir page 136) !

L'AVIS D'ARI DARMON (pédicure-podologue)

Utilisez un pédiluve, ses remous accentuent l'effet relaxant. Sans vernis, vos ongles peuvent briller naturellement grâce au bloc "supershine". Enrouler un peu de coton au bout du bâtonnet de buis pour repousser les peaux rend cette opération moins agressive – et permet aussi, en trempant le bâtonnet dans du dissolvant, de rectifier vos erreurs de pose de vernis. Pour séparer vos orteils, servez-vous d'un mouchoir en papier enroulé sur lui-même, c'est pratique et hygiénique. Bien sécher l'espace entre les orteils évite fissurations et mycoses. Enfiler vos nu-pieds… avant d'appliquer le vernis !

6

moi... au top!

LES SECRETS DES MAKE-UP ARTISTS

Olivier Échaudemaison
Creative Director de Guerlain

Le maquilleur dont le carnet d'adresses ferait pâlir le Who's who, adulé des reines, des princesses et des people du monde entier, a su garder la distance et l'humour qui font l'absolue élégance. Et son regard sur la beauté est une jolie leçon d'humanité…

"La seule chose à emporter sur une île déserte ? Un rouge à lèvres !"

"La beauté, c'est intemporel, ce n'est pas de l'actualité : je préfère d'ailleurs parler de style que de mode. Alors pourquoi changer quand on a trouvé le sien ? C'est une preuve d'insécurité, le signe que l'on se raccroche à des images… Mais, aujourd'hui, on ne sait plus se regarder, on se voit par segments : il faut retrouver une vue d'ensemble de soi… J'adore, pour cette raison, les "avant après" – le seul problème, c'est quand les "avants" sont mieux ! Mais voir la même femme interprétée par exemple par quatre maquilleurs, ce serait un rêve…

En quarante ans de maquillage, malgré la multiplication des gadgets, rien n'a changé sur le fond : on a toujours deux yeux et une bouche. **La façon de porter, comme un drapeau, son eye-liner ou son rouge, c'est une réassurance et une affirmation de soi. On ne se promène pas toute nue !**

Un produit cosmétique n'est intéressant que par l'histoire qu'il va porter, la manière dont il va séduire et faire appel à tous les sens, son esthétisme et sa photogénie pour l'œil, la sensualité du toucher, le bruit des fermoirs et le parfum : on reconnaît, les yeux fermés, l'irrésistible odeur de violette qui signe la personnalité de Guerlain.

Le comble du luxe, une gratification que l'on se donne, un statut social associé à une image très forte – et pour un investissement qui reste raisonnable…

En revanche, ce qui a évolué, ce sont les textures et la manière de les appliquer : l'invention de la légèreté et de la transparence. Guerlain l'a illustré avec les Météorites et surtout Terracotta, la révolution d'il y a vingt ans : du maquillage qui ne se voit pas.

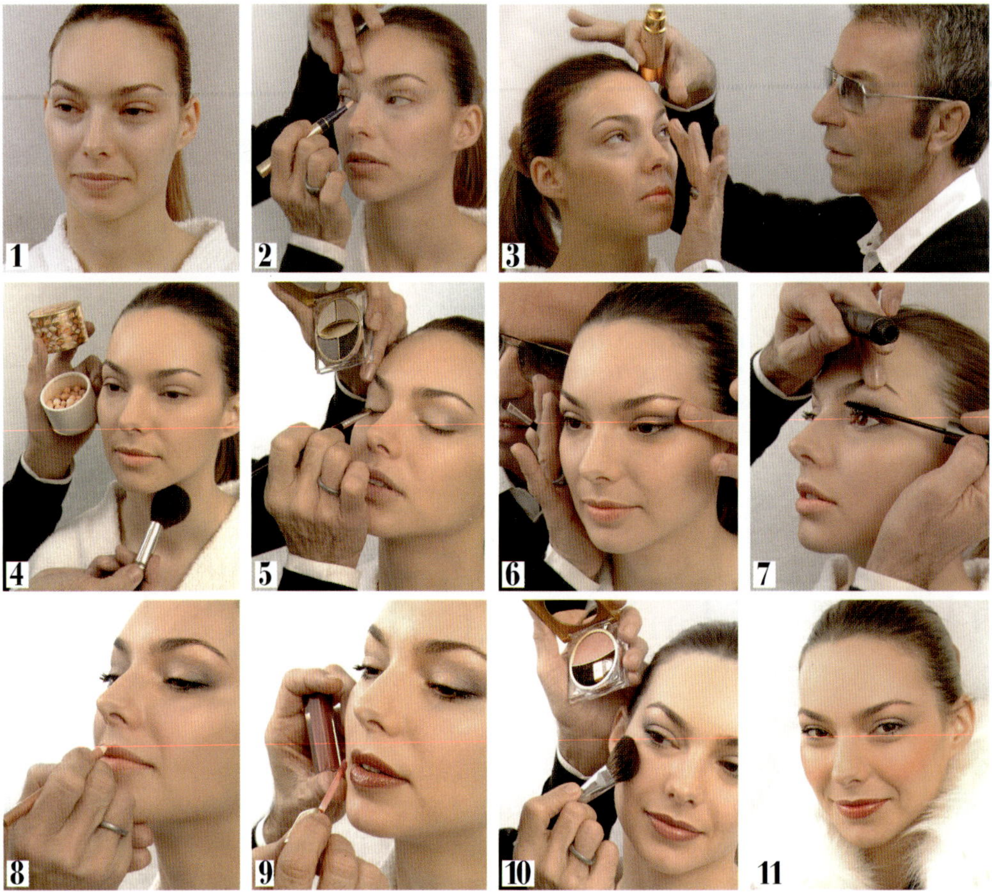

Maquillage de Demi-saison 1. Visage nu, soin hydratant intense. 2. Fond de teint à l'Extrait Actif de Rose pour un teint naturel et unifié. 3. Anticernes appliqué au stylo pinceau, dans le coin interne sous l'œil. On lisse du bout des doigts de l'angle interne vers l'angle externe, pour le fondre avec la peau. 4. Pour un teint de rêve, la poudre billes Météorites, une harmonie de beige doux, d'une élégance intemporelle, va unifier tout en transparence. Illuminer le teint en passant le pinceau sur les billes, puis appliquer sur tout le visage, cou et décolleté inclus, en insistant sur les ailes du nez, le menton et le front. 5. Maquillage des yeux avec la palette Ombre éclat Touche de Brume, 4 teintes vaporeuses pour regard mystérieux. Avec la teinte lighter : on éclaire le regard d'un blanc finement nacré. Avec la teinte Velvet : on le veloute avec le beige taupe. Avec la teinte médium : on donne de la profondeur avec le gris brumeux, en l'appliquant dans le creux en forme de croissant, entre paupière mobile supérieure et arcade sourcilière. Avec la teinte contour : on le structure et on l'intensifie en noir pailleté. 6. Un regard magnifié. 7. Touche finale (et indispensable), le mascara. Le Maxi Lash Volume Extrême donnera une profondeur au regard. 8. L'astuce Guerlain pour une bouche sensuelle, le crayon ivoire Cupidon. Pour souligner le dessin des lèvres supérieures, une touche de lumière au centre, comme un accroche-cœur. 9. Pour une brillance laquée et un effet vinyle, Laque KissKiss Fabulous Rose. Fluide et onctueuse, elle s'applique facilement à l'aide de son applicateur mousse. 10. Ultime touche, le blush, après la pose du rouge à lèvres et non avant. Cela permet de mieux mesurer l'intensité de la couleur : tel Rose Pluie d'Or, fraîche comme la rosée, qui fait rosir de plaisir les pommettes. 11. **Résultat : un maquillage doux et sophistiqué à la fois.**

“En voyant Ava Gardner à l’écran, les femmes pouvaient lui chiper une recette !”

▶ Lorsqu’une femme dit : “Je ne me maquille pas, je mets juste de la Terracotta”, cela me fait rire ! Cette spectaculaire évolution technologique est l’équivalent de la microfibre ou de l’élasthanne en mode, le mouvement n’est plus le même.

Résultat : on n’a plus besoin d’être une experte pour se maquiller.

Avant, les matières étaient tellement lourdes et difficiles à travailler que les femmes dérapaient, c’était un art difficile, réservé à très peu… théâtreuses et demi-mondaines. À part les femmes du monde, qui se faisaient maquiller de façon adroite, rares étaient celles qui avaient accès à ce luxe. Pourtant, de tout temps, la Parisienne a su s’en sortir. Les Françaises sont bonnes cuisinières et en beauté aussi, il s’agit toujours de recettes !

C’est la petite cuisine du maquillage : en regardant les actrices ou les chanteuses, Ava Gardner ou Sylvie Vartan, les femmes arrivaient à chiper un truc et à se l’approprier.

Dans le reste du monde, l’approche de la beauté est beaucoup plus stéréotypée qu’en France. Et très révélatrice d’une société : le rose des Asiatiques, la poudre de riz, le blanchissement (le fait d’accepter de bronzer a été révolutionnaire en son temps)… ▶

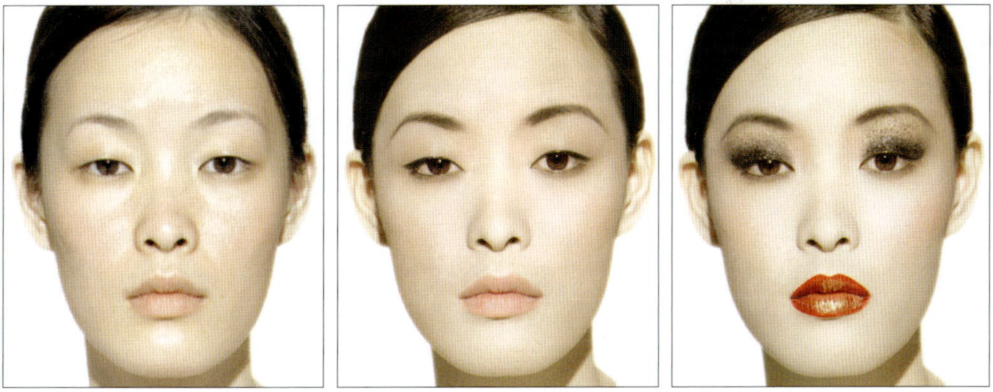

Hein, relookée par Olivier Échaudemaison en trois étapes spectaculaires 1. au naturel 2. pour le jour : fond de teint qui unifie la peau, sourcils redessinés au crayon, yeux soulignés d’ombre beige et rehaussés d’un trait d’eye-liner noir, rouge à lèvres rose brillant 3. pour le soir : paillettes et couleurs beaucoup plus soutenues pour les ombres à paupières superposées et fondues, le trait de crayon, le rouge à lèvres – et la touche de blush qui donne le relief final. ▶

Cours de soleil 1. Le visage parfaitement hydraté avec Super Aqua-Day Fraîcheur Jour. 2. Pour ensoleiller le teint et mettre en relief certaines parties du visage, comme les pommettes et l'arcade sourcilière, appliquer au pinceau la poudre Terracotta Light, Soleil léger. En deux harmonies : pour les blondes (hâle soft et élégant toute l'année) et pour les brunes (qui auront l'air de revenir des Caraïbes sans quitter la ville !) 3. Un teint lumineux et naturel grâce à une harmonie de 5 teintes compactées, qui assure une bonne mine éclatante. 4. Pour un regard captivant, sensuel et fascinant, Khôl Poudre libre. On peut le poser comme tous les khôls, à l'intérieur de l'œil, mais aussi en bordure de paupière inférieure. Une teinte très facile, ourlant le regard des blondes comme des brunes sans le durcir, juste mystérieusement sexy. 5. Pour des lèvres parfaitement hydratées, appliquer, avant le rouge à lèvres ou le gloss, à l'aide d'un pinceau, le Baume de la Ferté. 6. Pour les préparer à l'application du rouge à lèvres et en augmenter la tenue, l'indispensable Liplift Fixateur Embellissant. 7. Pour un sourire tendre et lumineux, une des teintes Gloss & Shine. 8. Une teinte ambrée pour faire pétiller le bronzage. 9. Pour briller avec sensualité, caresser le visage et le corps avec un Pinceau Poudre Embellisseur Nacré (édition limitée en deux nuances, Blondes N° 01 avec des reflets or et Brunettes N° 02 avec des reflets cuivrés). 10. Appliquer en insistant sur les points stratégiques – cou, naissance et creux du décolleté, épaules, bras, chevilles – afin d'attirer tous les regards. 11. Un bronzage illuminé des heures durant. **Résultat, ci-contre, un maquillage ensoleillé, signature de l'indémodable Terracotta,** tout en nuances de brun, de cuivre et d'or… ▶

“Un fond de teint, c’est intime comme une lingerie, au plus proche de votre peau.”

Alors qu’en France on aurait tendance à empêcher les jeunes filles de se maquiller, chez les Américaines, on est davantage dans la culpabilité – les mères poussant à la consommation (“Cache tes boutons, tu auras le plus beau garçon de la promo !”). En même temps, on est en plein règne du “neutral” : du fond de teint au rouge à lèvres, aux USA, tout est beige.
Le maquillage, aujourd’hui, c’est le goût du secret, de l’imperceptible. Si l’on voit le travail derrière, c’est que ce n’est pas réussi…
Le fond de teint, c’est intime, comme une lingerie, au plus proche de votre peau. Il peut devenir la plus laide chose au monde s’il est mal choisi, se figer en masque, durcir ou empâter le visage, alors qu’il sait désormais – et c’est ce qui rend le développement de tels produits passionnant – se faire invisible. **On ne doit pas vous dire “quel joli fond de teint tu portes !” mais “quelle jolie peau tu as aujourd’hui !”.**
La bouche, elle, peut prétendre être autre, vivre sa propre vie – rouge, violette ou noir gothique – elle affiche la couleur de votre humeur. Et affirme votre sensualité, voire votre sexualité : les hommes ne se maquilleront jamais les lèvres !
La bouche a été un contrepoint à toutes les modes : au temps de la minijupe des sixties, les collants étaient couleur yaourt et les lèvres nacrées, blanchies pour compenser, pour gommer leur impact sexué. Dans les années soixante-dix, quand le midi et le maxi lui ont succédé, on a recoloré les lèvres en cuivre et marron !
Une femme en pantalon non maquillée, c’est un homme. Mais dans la même tenue, avec des escarpins et une bouche rouge, c’est une bombe !
Sur l’île déserte, c’est le rouge qu’il faut emporter – et lui seul !
D’ailleurs, il faudrait lui inventer un nouveau nom, gloss, lipstick, fard à lèvres, raisin… le lier à une seule couleur, c’est trop réducteur.
Objet culte – le rouge est une arme de séduction massive. Si une femme l’utilise dans un lieu public, si le geste est beau, l’objet doit l’être aussi… Kiss kiss faisait partie de la bibliothèque Guerlain, je l’ai ressorti, carrossé par Van Straten, intemporel et sensuel. Il a conquis plus de 17 % du marché du rouge, c’est fascinant !!!
Les femmes sont attirées par le nom, par la couleur et par l’objet – on ne parle pas de consommatrices chez nous, on est dans l’impulsion, le plaisir pur.

Une princesse des neiges, tout droit sortie d’un conte de fées – signe une éblouissante collection d’hiver.

James Kaliardos

Maquilleur Créateur International L'Oréal Paris

James Kaliardos est un peintre de l'émotion : il respecte le visage des femmes qu'il maquille parce qu'il s'intéresse à leur être. Anonymes ou actrices, il les subjugue grâce à son art de la transparence, entre spectaculaire et naturel, où le détail (parfait) se fait oublier au profit d'une seule image – sublime.

"Se maquiller est un moyen d'exprimer avec force quelque chose d'unique, qui vient de l'intérieur de soi"…

"Rien n'oblige une femme à se maquiller ou à se faire coiffer – ce ne sont que des moyens, une façon d'extérioriser avec force quelque chose d'unique, qui vient de l'intérieur de soi… et cela aide vraiment à se donner la confiance nécessaire pour s'exprimer.

Il y a clairement une évolution dans la relation entre les femmes et la beauté – je travaille sur un projet où j'analyse la manière dont elle est vécue, de façon différente à chaque décennie. J'en avais déjà une idée, je savais ce que ces changements représentaient, mais pas les causes profondes de ces transformations. En général, au cours de l'Histoire, des guerres surviennent, qui font revenir les femmes en arrière, puis elles poussent à nouveau vers l'avant… et elles se sentent obligées d'avoir un certain type de look, souvent "extrême".

Nous avons la chance de vivre dans une ère de liberté, où les femmes choisissent réellement à quoi elles ont envie de ressembler. Se maquiller c'est "trendy", ne pas se maquiller c'est "trendy", avoir les cheveux raides c'est tendance, être coiffée n'importe comment, c'est tendance…

Mais **si vous viviez dans les années cinquante, vous étiez obligée de vous recouvrir d'un fond de teint épais, d'avoir une bouche rouge et de l'eye-liner,** et de vous faire permanenter chez le coiffeur – en bref, d'avoir une drôle de tête. Il y avait beaucoup de femmes carrément moches dans ces années-là, irregardables : ce genre de look ne va vraiment pas à tout le monde ! ▶

Laetitia Casta, muse ultime, incarne à la perfection l'idéal de beauté d'une vraie nature… revisitée.

"Le look ne compte que pour 20 % : l'essentiel, c'est la personnalité, la manière d'être..."

Imaginez-vous dans les années soixante, à vous imposer une demi-heure de boulot en plus, chaque jour, rien que pour poser vos faux cils – les hommes, eux, n'ont jamais eu ce type de contraintes... Tout cela c'est terminé, aujourd'hui, vous faites comme vous le sentez ! C'est un vrai pouvoir pour les femmes – une conquête cruciale, mais qui ne doit pas faire oublier que nous vivons dans un monde où certaines n'ont même pas le droit de montrer leur visage... Il faut juste rester conscients.

Parfois, je travaille sur des séances photos où l'on traite mal les mannequins, on les pose dans des cages d'escalier, comme de pauvres petites prostituées : je suis farouchement contre ça. On a tous les choix de la terre, ces filles sont belles, est-il réellement nécessaire de les montrer sous cet aspect ? Cela me choque d'autant plus que ce sont souvent des femmes qui dirigent ces journaux, et je lutte contre ce type d'imagerie. Je crois à une image de la femme qui tire vers le haut. **Une femme peut être à la fois vraiment forte et vraiment belle. Je crois que la beauté est un pouvoir que les hommes n'auront jamais.** Les femmes ont une sensibilité, un accès direct à leurs émotions qui leur est propre, et d'une telle puissance qu'il peut contribuer, concrètement, à changer le monde.

La beauté, comme la mode, est strictement affaire de choix. Avec le même mannequin, vous pouvez créer une infinité de photos différentes... Vous allez pouvoir inventer, en fonction de sa personnalité, le type d'image qu'elle va offrir. Une crinière somptueuse ou des cheveux tirés, des cils interminables ou des lèvres rougissimes, des talons aiguilles ou des baskets...

Quand je rencontre une femme, je remarque bien sûr la manière dont elle est maquillée, mais je vois avant tout la personne qu'elle est. ▶

J'adore les nouveaux films tournés avec **Jane Fonda**, si pleins d'émotion et de profondeur : la beauté, ce n'est pas seulement faire de grands mouvements de cheveux (*il rit*). Et ce fond de teint, Age Re-Perfect, inventé pour les peaux très matures – plus de soixante ans – je l'aime tant que je m'en sers pour des filles de... seize ans !

Un festival de charme : 1 Aishwarya Rai, Andie MacDowell et Kerry Washington 2 Noémie Lenoir 3 Eva Longoria et 4 Penélope Cruz Le monde de la beauté, beaucoup le jugent, à tort, artificiel, superficiel : je n'arrête pas de me battre contre ces idées reçues, d'y apporter de l'authenticité… Même si tout passe aussi par des gestes techniques, nous nous efforçons réellement d'apporter une autre dimension à la beauté. C'est d'autant plus facile avec L'Oréal Paris que **les ambassadrices ne sont pas seulement incroyablement belles – elles ont aussi d'incroyables personnalités**… Elles ont toutes été choisies pour cet aspect émotionnel, prépondérant, et pas seulement pour leurs atouts physiques : le look n'entre peut-être que pour 20 % dans le choix, l'essentiel c'est lié à la manière dont elles s'expriment, à ce qu'elles représentent – et c'est cela qui les rend fascinantes. Ma mission, c'est d'y contribuer, au carrefour des deux mondes qui cohabitent au festival de Cannes. C'est une immense inspiration d'être ici, on y ressent un tel respect pour la création, cela me touche de voir des gens applaudir debout à la fin d'une projection… Cela confère un grand crédit au travail artistique, on ne voit pas seulement le côté distrayant d'un film, mais aussi la somme d'énergie et de talent investie… C'est miraculeux, et ce qui est beau au cinéma, c'est que c'est nous-mêmes que nous voyons sur un écran… L'impact de **la beauté des actrices ajoute une dimension de rêve** – et il y a cette incroyable relation avec le public, ces déclarations d'amour tout au long de la montée des marches…

Noémie Lenoir, transfigurée, irréelle…

Même chose pour une séance de photo, je m'imprègne de l'image que le mannequin renvoie, de la personnalité qu'elle offre au monde. D'ailleurs, mon métier consiste à faire perpétuellement des choix (allez, assez des teints irisés, on passe à autre chose !). La manière dont vous vous coiffez et vous vous maquillez est un choix, qui doit être reconnu comme tel et qui en dit long sur vous. Sauf lorsque c'est devenu une routine. **C'est important, de temps en temps, de remettre son look en question, de casser ses habitudes et d'essayer quelque chose de nouveau**, qui va vraiment vous aller. Vous ne gardez pas le même look à 20, 40 ou 60 ans. Quand vous changez d'âge, vous vous adaptez à la manière dont votre beauté évolue – il n'y a rien de triste là-dedans, au contraire ! Écoutez les conseils, nouez une relation privilégiée avec votre coiffeur qui va vous aider à trouver votre style… Je fais pareil, quand je dois m'habiller, je demande à mes amis stylistes ! Faites-vous maquiller dans une boutique, vous n'êtes même pas obligée d'acheter quoi que ce soit, et si le résultat ne vous plaît pas, vous enlevez tout ! Et, par-dessus tout, regardez autour de vous, ouvrez les yeux, il y a tant d'images à capturer ! Inspirez-vous des magazines (ou des pages de ce livre !), vous sentirez vers quoi vous êtes naturellement attirée. À vous ensuite d'analyser si ça va vous aller ou pas, si c'est réaliste (et réalisable !) ou si c'est du pur fantasme. Si ça vous ressemble, même un peu, allez-y faites-vous plaisir. Une seule méthode pour "se" trouver : se regarder dans le miroir, visage nu, sans le moindre maquillage… comme si l'on était quelqu'un d'autre. Un seul impératif : surtout ne pas

"Le secret pour se trouver : se regarder dans le miroir, visage nu, comme si l'on était quelqu'un d'autre !"

prendre en grippe ce que vous n'aimez pas ! Au contraire, focalisez-vous sur ce que vous aimez, c'est cela que vous allez mettre en valeur… Vos yeux par exemple, il y a tellement de moyens de jouer avec ! Il existe tellement de produits accessibles, profitez-en, vous dépensez beaucoup plus pour vos cheveux, ça vaut le coup d'investir pour quelque chose qui peut vous changer la vie… Organisez des "réunions beauté" avec vos copines – ma mère faisait ça, il y avait toujours plein de femmes qui venaient se faire coiffer à la maison…

Le vrai secret ? La lumière. Elle est fondamentale en beauté. Vous pouvez faire le plus beau maquillage du monde, s'il est mal éclairé, il sera horrible. Le plus important, quand vous vous maquillez, quel que soit le type de miroir que vous utilisez – c'est d'avoir l'éclairage adéquat, celui qui va vous montrer telle que vous allez apparaître aux autres. C'est raté si vous vous dites "Oh, non, ce n'est pas moi, ça !", quand vous croisez une glace au cours de la journée – ou que vous ne vous reconnaissez pas quand on vous prend en photo. N'hésitez pas à vérifier à la fois à la lumière du jour et à l'éclairage électrique, bien fort, bien cru, pas le tout gentil halo jaune, si flatteur, des salles de bains… Pour choisir la bonne couleur de fond de teint ou votre ombre à paupières, ça vaut le coup de prendre les deux secondes nécessaires pour allez jusqu'à la fenêtre !

JAMES ET SES STARS

Certaines savent exactement à quoi elles veulent ressembler. C'est le cas d'**ANGELINA JOLIE** : une fine ligne noire, pas trop liquide, au ras des cils, et comme elle n'aime pas la couleur de ses lèvres, elle met un rouge à lèvres… gris qu'elle adore. J'ai refusé de l'utiliser : moi je préférais le beige ! Mais maquiller Angelina a été un rêve, elle est intelligente et elle sait ce qu'elle fait : elle gère à merveille le fait que tout soit rond dans son visage, les yeux, les lèvres et les pommettes, en redessinant une ligne, en se créant une structure… **MADONNA**, au contraire c'est : "Fais comme tu le sens !" On a essayé plein de trucs et de looks différents. Grisant, comme une œuvre d'art "in progress", mais les deux approches sont géniales et j'adore travailler avec des contraintes. **MARILYN MANSON** aussi savait précisément quel look il voulait, et c'était grand ! Je n'ai aucun ego, il faut juste être en phase avec la situation. Un make-up artist a un vrai rôle à jouer. Le plus beau compliment que j'aie eu est venu de **RICHARD AVEDON** : "This kid's good !" J'ai eu l'immense privilège de travailler avec les plus grands photographes **IRVING PENN, HELMUT NEWTON**… Ils m'ont tous emmené dans leur monde : un immense cadeau. ▶

5 minutes chrono : le *making off* de James

LE TEINT Commencer par la crème de jour, incontournable – et ne pas hésiter à en user avec beaucoup de générosité. Bien nettoyer son visage et prendre soin de sa peau, c'est la base. Ensuite le fond de teint – le choix dépend de votre type de peau, mais je préfère ceux qui sont couvrants tout en se laissant "travailler" en finesse ou en épaisseur, suivant les besoins. Cela dit, il y a de nouvelles textures carrément magiques, qui ont un "effet" réel, les laboratoires font vraiment du beau travail… **Mais ce qui compte, au moins autant que la texture, c'est la façon de l'appliquer**, le coup de main que vous aurez acquis. C'est réellement une question de délicatesse, de dosage, de doigté. La grande erreur (très répandue, hélas !), c'est d'appliquer son fond de teint comme on mettrait une crème. Or, c'est totalement différent. Le fond de teint se pose par petites touches, sur les zones très spécifiques qui en ont besoin, avant de se fondre délicatement vers l'extérieur du visage, vers les zones qui n'ont pas besoin d'être "cachées". La bonne méthode consiste à en mettre une petite quantité sur votre main et à tapoter ensuite délicatement, de manière à obtenir un rendu naturel, très fin et surtout **sans ces démarcations si disgracieuses entre la mâchoire et le cou**, par exemple… Vous commencez par le dessous des yeux, vous continuez par tous les points que vous voulez couvrir : autour du nez, sur le menton, en principe c'est le centre du visage – et ensuite cette partie, des pommettes aux mâchoires, a priori naturellement unifiée, et vous l'étirez doucement en direction du cou. Je vois très souvent des femmes faire exactement le contraire, appliquant le fond de teint en quantités beaucoup trop importantes en commençant par les joues… et du coup négligeant les endroits où il serait réellement utile ! **LES YEUX** N'hésitez pas à user du **recourbe-cils – un outil formidable à découvrir**, et que je trouve indispensable même si vous utilisez un mascara galbant ! Une petite touche de fond de teint sur la paupière aide à l'unifier avant de la maquiller, quel que soit le type de maquillage que vous adopterez. Commencez par l'ombre à paupières, puis tracez la ligne de l'eye-liner si vous voulez que son dessin soit bien net et exempt de trace de poudre (cela présente aussi l'avantage de fixer le fard). Si, à l'inverse, vous souhaitez un aspect plus fondu, en estompe, commencez par l'eye-liner et fondez-le dans le fard à paupières qui va le recouvrir… **Mettez vos yeux en valeur, créez-leur un écrin, un contour**… et terminez par le mascara. **LES JOUES** Le blush – léger, vous n'avez pas forcément besoin d'insister puisque vos yeux sont faits. **LA BOUCHE** Là encore, cela va dépendre de l'ensemble : peut-être aurez-vous juste envie de gloss, la bouche va vous aider à équilibrer, en fonction du moment, juste une pointe de brillant ou une couleur forte, qui va signer **votre look final : le rouge à lèvres** vous fait toujours paraître plus maquillée **LA POUDRE…** Happy end : un nuage sur la zone T… Confirmation (éclatante) que votre maquillage ne vous a pas pris plus de 5 minutes tout compris – de la crème à la poudre en passant par les yeux, les lèvres et les joues ! ▶

Des paupières de Milla à la bouche de Noémie, un même amour du geste parfait.

Laetitia, le plus vivant des tableaux de maître sous le pinceau de James.

Bobbi Brown

Créatrice de Bobbi Brown

Sacrée "impératrice du teint" par les médias américains, Bobbi Brown est un cas unique. Avec sa vision "girl-friendly" de la beauté, elle affiche sa différence, même dans le club très fermé des femmes "make-up artists". Son credo: "be who you are". Sa mission: révéler à chaque femme comment se réapproprier sa propre beauté.

"Je n'ai qu'une seule envie : que mon maquillage contribue à rendre les femmes heureuses !"

"Je ne crois pas être différente – simplement je suis *comme* toutes les femmes, je me reconnais en chacune. Ce qui n'est pas forcément le cas avec les top models des magazines, dont les photos sublimes ne reflètent pas la vraie vie. Dans la vraie vie, on a juste envie de se mettre en valeur, de tirer le meilleur parti de soi, de faire du mieux que l'on peut avec ce que l'on a et ça commence dès le matin au réveil. Je sais faire ça, c'est une évidence pour moi – et je souhaiterais que ça le devienne pour toutes les femmes ! C'est cela que j'ai envie de leur transmettre. La beauté, ce n'est pas avoir l'air plus jeune que son âge, c'est juste « look great ».

On croit souvent qu'être belle est une affaire de regard ou de bouche. Non, c'est avant tout une affaire de peau. Peu importe que vous ayez des rides, ou à peine vingt ans, si votre teint est unifié, et que vous n'avez pas l'air "maquillée", pour moi c'est le commencement de la beauté. C'est ce qui rend les mannequins si belles, avec ces peaux irréelles… il faut dire qu'à treize ans, c'est facile ! Les Françaises sont tellement bien dans leur peau, en phase avec ce qu'elles sont, elles ont confiance dans leur propre séduction. Mais je trouve bizarre que l'on ne voie jamais de filles de plus de trente ans dans les magazines… Tant qu'elles y trouvent l'inspiration, c'est bien, mais il ne faut pas s'y identifier. **Mon conseil pour être soi-même ? Ne jamais se comparer. C'est parfait d'admirer, mais pas d'entrer en compétition. D'ailleurs, on perd toujours !** ▸

Couleur chocolat, une ligne exquise concoctée par Bobbi.

“Il existe toujours un moyen de vous retrouver au top de vous-même”

Étant une femme, j’ai toujours eu l’intuition de ce à quoi une femme avait envie de ressembler, même un top model. Cela m’importe que mon maquillage les rende heureuses. C’est rare chez les make-up artists, en général ils s’en fichent. Moi, j’ai envie que, mannequins ou pas, elles se sentent belles. Si elles demandaient du démaquillant en descendant du podium ou en sortant de la séance photo, je considérerais ça comme une insulte.

À vingt ans, on est sublime, mais on ne s’en rend pas compte. Moi, à cet âge, j’étais l’inconscience même, gamine du Midwest débarquant au milieu des plus grands stylistes des magazines.

On ne pense jamais qu’on est “arrivée” et moi, ça fait à peine deux ans que j’ai ce sentiment (Bobbi est un Bélier, abordant – incroyable ! – la cinquantaine) ! **La différence ? Je n’essaie plus d’être : Je *suis.*** C’est incroyablement confortable, et on n’arrête pas de me dire combien j’ai l’air en forme, même dans les soirées où je me balade en jeans au milieu des tops (juste avec des talons, je suis si petite !).

Au contraire, si vous essayez d’être ce que vous n’êtes pas, ça ne marche jamais…

Être soi-même – c’est s’approprier tout ce qui va vous faire vous sentir (et vous montrer) au mieux. En étant vous-même, là où vous êtes, il existe toujours un moyen de vous retrouver au top de vous-même – grâce au maquillage !

Bien sûr, c’est une partie d’un tout : prendre soin de soi, c’est bien se nourrir, boire beaucoup d’eau – légumes bio et nourriture saine n’étant pas incompatibles avec un bon verre de vin (je trouve que le chianti s’accorde parfaitement avec huile d’olive, chocolat noir et thé vert) –, ne pas fumer, mais c’est aussi choisir les bonnes tenues, y compris les sous-vêtements (impossible de se sentir bien s’ils sont mal adaptés !)

Le maquillage n’est pas une affaire de tendances, mais de style. À tout âge, on peut trouver le sien ! En cosmétique, c’est pareil : quand on tient les produits qui vous vont, on n’en change plus. C’est pour cette raison que nous suivons nos lignes.

Mais je suis et je reste une make-up artist. J’adore travailler sur les séances de mode, avec des stars, expérimenter des choses un peu extrêmes, en direct – du trop fort, du trop brillant… et qu’elles restent sublimes.

Mais lorsque je croise une femme pour la première fois, je vois un être humain, pas la manière dont elle est maquillée – heureusement, je deviendrais folle à ce jeu ! Je remarque seulement si un maquillage est trop violent, trop accentué – et évidemment je sais en deux secondes comment résoudre le problème, c’est mon métier, après tout, de former des maquilleurs professionnels ! ▶

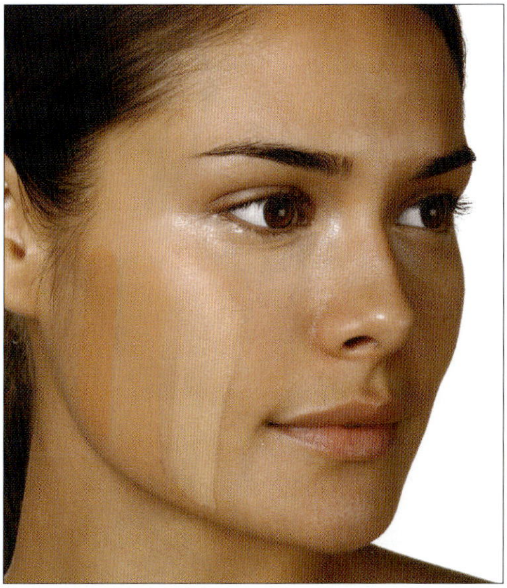

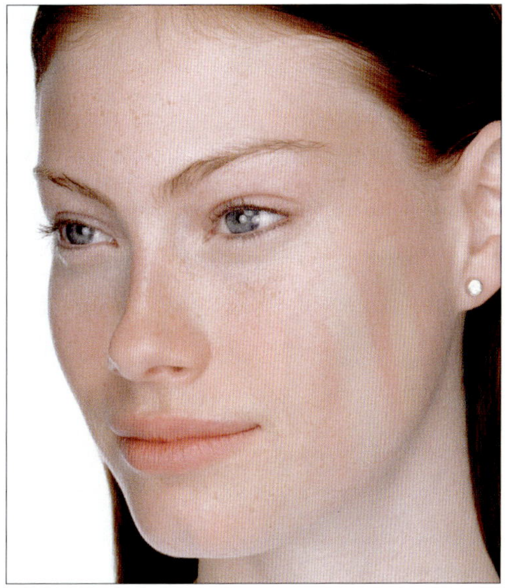

Magique pour choisir la couleur du fond de teint Plus pratique pour tester, le stick (avant de se fixer sur la texture) : on dépose trois teintes sur le bas de la joue, on tapote pour trouver la bonne couleur: celle qui ne se voit pas, qui ne fait ni gras, ni jaune (on choisit la teinte juste en dessous pour l'anticernes) !

La Bobbi's *touch* en 10 étapes

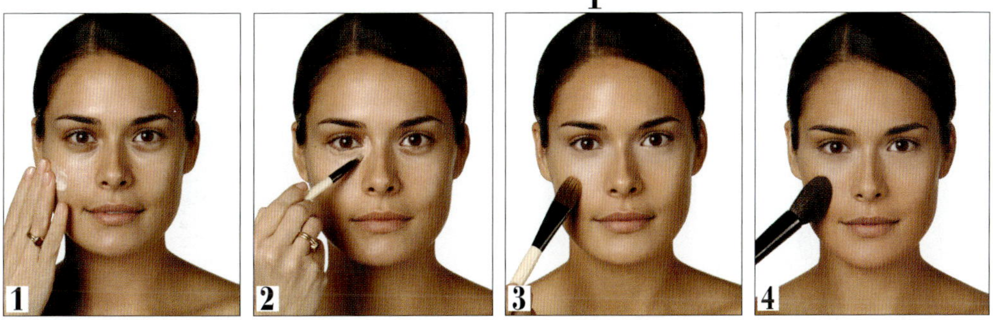

Le teint 1. Base hydratante : des polymères aident à faire une bonne toile de fond. La peau déshydratée des citadines en particulier est rétive à tout maquillage : si elle n'est pas préalablement traitée, rien ne tiendra ! On lisse le contour de l'œil avec une crème spécifique avant de poser l'anticernes (pour la tenue, toujours). 2. Le correcteur appliqué au pinceau neutralise la couleur des cernes et lifte le regard : pour les cernes bleutés, on met du rosé, à la racine des cils et sur tout l'intérieur de l'œil, on tapote pour ne pas enlever de matière. 3. L'anticernes, on en met partout, généreusement, au pinceau (avec le doigt on en prend trop) bien plat pour aller au ras des cils et on tapote l'excédent d'un petit geste du doigt. Si l'on veut un effet lisse au niveau du contour, on le maintient légèrement en le tirant avant de tapoter. ▶

La Bobbi's *touch* en 10 étapes

4. **Fond de teint :** le pinceau permet un résultat plus léger, mais au doigt on maîtrise mieux. Très modulable et agréable, effet frais bien que couvrant, sur bases jaunes, jamais rosées. Massage et poudre en option avec houppette et excédent au gros pinceau – pour une peau mixte ou grasse qui a tendance à briller. On poudre l'anticernes d'un voile au pinceau estompeur (blender). Option bis : poudre bronzante mate, à tester sur le décolleté ou l'avant-bras, pour être juste "embrassée par le soleil", ou blush, en faisant ressortir la pommette en souriant, toujours vers l'extérieur et le bas – là où l'on rougit naturellement.

Les yeux 5. Le maquillage basique : une couleur mate étalée au pinceau sur toute la paupière mobile (on tapote pour ôter l'excédent). Option sophistiquée : on pose sur le pinceau, puis on appuie sur la main pour que le produit pénètre bien – on corrige au blender et au Coton-Tige. On renforce les effets avec un fard plus foncé en contour de l'œil, sec ou à l'eau. 6. On suit la racine de l'œil avec le pinceau liner – on le dessine, on ne modifie pas sa structure, en remplissant le tour de l'œil au-dessous. On tire un peu la paupière et l'on remplit la racine du cil par à-coups (le Coton-Tige à portée de main!). Une exclusivité, le gel eye-liner, qui ne bave pas, water-résistant et facile à utiliser, il glisse tout seul. Effet d'optique garanti, comme une deuxième frange de cils, sobre et élégant, pas l'œil de la Callas. 7. Le mascara : on part de la racine et l'on tourne la brosse en étirant comme pour un brushing. Pour épaissir, on élève en zigzag, le volume apparaît. 8. Essentiel, le sourcil : on utilise le mascara à sourcil de la couleur du cheveu (ou transparent) pour les sourcils plus épais, et le fard au pinceau biseauté très fin pour les plus fins.

Les lèvres 9. Le crayon contour se pose après le rouge pour se fondre sans ôter l'aspect naturel. 10. Le gloss donne un effet lisse, lumineux très doux. On peut mélanger nacré irisé et teinte mate. Pourquoi pas une petite lumière lilas sur le cœur de bouche ?

MANDA, REVISITÉE PAR BOBBI

“Pourquoi se faire refaire les paupières ? Il suffit de mettre un peu plus d’eye-liner”

Lorsque l’on parle d’évolution en cosmétique, cela relève beaucoup plus du simple bon sens que de la technologie (ça, c’est du jargon marketing) : ce qui compte, ce sont les textures. Celles qui marchent le mieux sont onctueuses, ni grasses, ni sèches. Même s’il n’existe pas encore de crème à effacer les rides, c’est vrai que la technologie permet d’y incorporer un écran solaire. Quoi qu’il en soit, la vraie clé, c’est l’hydratation. Je suis très fière de mon baume Extra moisturizing, je sens la différence si je n’en mets que sur une partie de mon visage.

Comment j’ai inventé mon gel eye-liner ? Je suis quelqu’un de très pratique. J’étais dans le Colorado (ce jour-là, c’était moi qu’on photographiait) et, en fouillant dans mon sac, je me suis rendu compte que j’avais oublié mon eye-liner. Je n’avais qu’un mascara noir, je m’en suis servi pour tracer un trait le long de ma paupière et, surprise, ça a tenu toute la journée ! J’ai immédiatement appelé mon bureau : « On va créer le premier eye-liner qui tient le choc… », c’est vraiment comme ça que je fonctionne. Se sentir bien dans son âge, c’est se prendre en charge : un petit effort côté coiffure, un petit effort côté maquillage… Je n’ai aucune envie de me faire refaire les paupières – il suffit de mettre un peu plus d’eye-liner, c’est tout ! La chirurgie esthétique compulsive me rend malade : les femmes n’ont l’air ni plus belles ni plus jeunes, elles ont juste l’air d’avoir fait quelque chose. Plus vous serez concernée par votre corps, plus ça se verra sur votre visage.

BOBBI ET SES STARS

Côté célébrités, j’adore Jodie Foster : elle est si belle, si gentille, si simple… si normale. Je lui ai donné ce look d’actrice française que j’aime tant, un peu fouillis, très bleu marine… J’ai maquillé Meryl Streep, aussi. Mais la plus belle créature avec qui j’aie jamais travaillé, c’est Brooke Shields : elle avait quatorze ans et elle était sidérante. Cette peau, ces lèvres, ces yeux ! Ça a été ma séance photo préférée.

MAKE-UP EXPRESS

TOP DÉPART : cinq minutes chrono avant de quitter la maison… Si vous êtes blonde à peau claire, vous ne sortirez pas sans mascara – tandis qu’une brune méditerranéenne ne pourra se passer de son rouge à lèvres. **MON CLASSEMENT : N° 1 :** base hydratante **N° 2 :** fond de teint **N° 3 :** blush **N° 4 :** eye-liner. Les lèvres, en dernier : on peut toujours rattraper une touche de gloss en passant devant une vitrine. **Mon arme secrète :** un mini-boîtier tout-en-un, avec six cases : un correcteur, trois tons d’anticernes, mon fond de teint, un rouge pop pour les pommettes et mon rouge à lèvres favori. ▶

"Même le soir, pas besoin d'**effets** trop appuyés je préfère le **suggéré** au **surchargé**"

MAQUILLAGE DU SOIR, BONSOIR !

La différence entre maquillage du jour et du soir n'est pas aussi marquée que l'on se l'imagine! Un rouge à lèvres plus brillant, du noir plutôt que du brun sur les yeux, cela suffit le plus souvent – certaines préféreront passer au nacré plus flashy. Je préfère de loin le suggéré au surchargé...

LES ASTUCES FAVORITES DE BOBBI...

FOND DE TEINT Il n'y a qu'une seule raison d'en mettre : unifier le teint. Et, pour être dans le bon ton, une seule façon de procéder : faire le test sur le côté du visage, au-dessus de la mâchoire. Attention : la peau du visage est souvent plus claire que sur le corps : vous pouvez opter selon les cas pour un fond de teint clair ou utiliser une poudre de soleil.

SOURCILS Ils doivent être en accord avec votre visage. Si vous avez des traits forts, vos sourcils doivent l'être. Si vous avez les traits délicats, la ligne de vos sourcils sera plus légère. Mais ils doivent rester naturels. Heureusement, on n'est plus au temps des massacres d'il y a quelques années : épilés, arrachés voire rasés... ils ne repoussaient plus !

SOLEIL Je suis une des rares maquilleuses à penser qu'un peu de soleil sied bien aux femmes. Et protéger sa peau (via un écran total visage) n'a jamais empêché un joli bronzage !

BLUSH La bonne couleur ? Celle qui apparaît quand vous vous pincez les joues.

REGARD Le mascara, pour avoir l'air naturel, doit être le plus foncé possible : je l'aime comme j'ai conçu le mien : noir, très noir, et riche. La plupart des femmes accordent une importance exagérée à l'ombre à paupières : elle passe, à mon sens, après les sourcils, l'eye-liner et le mascara – ça, c'est vraiment la clé. Vous devez la choisir directement de la bonne couleur, et qu'elle vous aille immédiatement : c'est très difficile d'estomper une ombre à paupières foncée.

BOUCHE La couleur idéale pour le rouge est celle qui s'accorde pile avec la tonalité de votre lèvre inférieure : si elle se fond avec elle, ça marche à tous les coups. Vous pouvez aller vers du plus clair, du plus brillant, mais je ne conseille pas le plus foncé : cela vieillit, ce n'est pas aussi frais.

UN PEU DE TENUE ! • mélanger {eye-liner + poudre} et {fond de teint + poudre} décuple leur durée • enlever toute trace d'huile avant de maquiller la paupière • utiliser deux blush au lieu d'un va donner l'impression que vous venez juste de l'appliquer : un ton nature, un plus clair par-dessus et ça tiendra (au moins) une demi-journée • une retouche d'anticernes s'impose l'après-midi...

Giorgio Armani
Cosmetics

« Comme la mode, le maquillage est une expression de la féminité. Il doit être facile à vivre tout en apportant une touche de fantaisie. » Le couturier italien passe du textile aux cosmétiques avec le même goût pour les matières aériennes et la pureté des couleurs…

"Il n'y a rien de plus sensuel au monde que de draper un corps dans un tissu et un visage dans un voile de textures fluides"

Giorgio Armani

"Le maquillage selon Armani ? Une garde-robe pour le visage, qui correspond à l'humeur du jour. Toute la philosophie du grand couturier italien y transparaît, dans un esprit de luxe et de liberté : **"L'élégance, ce n'est pas de se faire remarquer. C'est d'être inoubliable..."** La base de la démarche ? Chaque femme a une approche globale de sa beauté, elle a envie "d'être belle", c'est plus fondamental que de mettre en valeur spécifiquement ses yeux ou ses lèvres. Les attentes en matière de beauté ont beaucoup changé. On recherche des gestes professionnalisés, accessibles tous les jours pour un résultat bluffant – mais tout en transparence et légèreté. Jamais de masque, jamais d'effet figé sur le visage. On est dans les textures brillantes, dans l'effet no make-up : plus on est maquillée, plus on a l'air naturel, un naturel très travaillé. Sans renier pour autant, l'audace, le show, la tendance au théâtre, dans le beau sens du terme – ou à l'éternel hollywoodien… Plus qu'un maquillage, c'est la mode Armani sous forme de textures aériennes et très pures enfermant des pigments ultrafins qui se fondent à la peau, dans des teintes méditerranéennes, des camaïeux doux, des harmonies subtiles, n'utilisant que les ingrédients les plus nobles. Une technologie exclusive (Micro-Fil™), dérivée de l'industrie textile, donne des couleurs translucides et des textures ultra-fluides, superposables à l'infini. Ainsi un blush va restituer le rose des joues, lorsque l'on vient de courir dans la fraîcheur du matin. La plus jolie illustration du souhait de Giorgio Armani : offrir aux femmes une palette "qui leur permette d'exprimer toutes les nuances de leurs émotions…" ▶

L'ART D'UN TEINT NATURELLEMENT LUMINEUX

Laurent Martin, face designer Giorgio Armani Cosmetics.

MAGNIFIER (BASE DE MAQUILLAGE - FOND DE TEINT - ANTICERNES)

1. Sur une peau parfaitement nettoyée et hydratée, utiliser la base pour unifier le teint : appliquer du bout des doigts en fine couche, en étalant du centre vers l'extérieur du visage. Parfaire en exerçant de légères pressions sur les contours du visage, les ailes du nez et la mâchoire, en formant un demi-cercle avec la paume de la main et le majeur : les traits du visage seront ainsi parfaitement épousés. **2.** Préparer au pinceau (voir page 189). **3.** L'anticernes s'applique sur les coins externes et internes de l'œil et sur les ailes du nez pour camoufler rougeurs et petites imperfections, estomper cernes, boutons ou signes de fatigue. À l'aide du pinceau enlumineur, en déposer une petite quantité sur les zones à camoufler, tapoter du bout des doigts, pour que la texture se fonde à celle du fond de teint.

ILLUMINER (FLUIDE EMBELLISSEUR - POUDRE)

4. Dès que l'on attire la lumière sur une zone particulière du visage, on la "révèle" en lui apportant plus de volume par un effet d'optique. Selon le résultat souhaité, toutes les combinaisons sont possibles : les nuances des fluides embellisseurs sont de véritables bijoux de peau : sur les zones saillantes du visage – pommettes, front, arête du nez, coin interne de l'œil, haut de la pommette et sous l'arcade sourcilière –, ils vont créer un halo de lumière qui mettra le regard en valeur. **5.** La poudre Micro-fil™ enveloppe la peau d'un voile radieux tout en la matifiant. À l'aide du pinceau poudre, appliquer la poudre libre sur la partie médiane du visage pour un éclat discret et un résultat naturel. Pour un effet sophistiqué, appliquer la poudre sur l'ensemble du visage, du cou et du décolleté.

GALBER (FLUIDE EMBELLISSEUR - BLUSH ET POUDRE DE SOLEIL)

6. Apporter du galbe, c'est créer des zones d'ombre, redessiner les contours. Selon le résultat souhaité, utiliser le fluide embellisseur dans les nuances cuivrées ou rosées. En application sous l'os des pommettes pour les faire ressortir, sur les tempes, sur la ligne des maxillaires pour élever le port de tête, sur les côtés et la pointe du nez pour affiner le volume. Prélever une dose à la fois et renouveler si besoin

7. La touche finale pour un teint parfait : voile de blush pour un teint velouté ou blush crème transparent pour un effet peau nue. À appliquer par petites touches sur le visage, puis à estomper au pinceau. Sur les pommettes pour un effet fraîcheur ou sous l'os en traçant un 8 pour un effet sophistiqué et glamour. La poudre bronzante s'applique, elle, au centre des pommettes, sur la pointe du nez, le nez et le front, là où le soleil vient naturellement se déposer. ▶

“Mon travail n’est pas de surajouter mais d’aller vers l’épure. Less is more”

Giorgio Armani

Teint : Technique au pinceau 1.Avant l’application du fond de teint, réchauffer la texture sur le dos de la main avec le pinceau teint. Prélever une petite quantité de produit avec la pointe du pinceau teint. Cette technique permet de moduler l’intensité du maquillage en fonction du résultat désiré. Commencer toujours par le centre du visage en étalant le produit vers l’extérieur. 2. Procéder par balayages en mouvements larges et continus, étirer la texture vers l’extérieur du visage par mouvements ascendants jusqu’à la racine des cheveux 3. travailler toujours avec le pinceau teint en légèreté les zones sensibles telles que les ailes du nez, coin externe de l’œil, commissures des lèvres qui ont tendance à développer des rougeurs. 4. terminer avec le pinceau teint par mouvements oscillatoires depuis le maxillaire jusqu’au cou.

Lèvres : effet naturel : 1. Après avoir préparé les lèvres avec le rouge à lèvres transparent 0, appliquer au doigt une teinte brillante transparente dans les tonalités beiges ou rosées. Commencer par la lèvre inférieure en tapotant le centre de la lèvre pour un effet volume. 2. Terminer par la lèvre supérieure toujours en tapotant le centre de la lèvre pour un fini "gorgé". Lèvres effet glamour : 3. Après avoir préparé les lèvres avec le rouge à lèvres transparent 0, redéfinir le contour des lèvres avec le crayon lèvres soyeux 4 pour un dessin parfait. Estomper avec le pinceau lèvres à l’intérieur des lèvres puis appliquer le rouge ArmaniSilk 10, rouge emblématique, en prélevant la texture avec le pinceau lèvres. 4. Pour un effet ultraglamour et scintillant, appliquer le top coat scintillant au centre des lèvres. Des lèvres sensuelles pour un rendu sophistiqué… ▶

Œil graphique : Maquillage backstage 1. Utiliser le crayon yeux soyeux dans la ligne des cils. Tracer un trait dans le creux de la paupière pour définir la zone de travail. 2. Colorer avec le même crayon toute la paupière mobile jusqu'au pli de la paupière. Étirer subtilement le coin externe pour un œil chatoyant. 3. Pour apporter de la profondeur, appliquer le fard à paupières en fixateur sur la paupière mobile. Utiliser le pinceau fard à paupières en tapotant la texture de l'extérieur vers l'intérieur. Puis terminer avec le pinceau contour des yeux large en balayage de l'intérieur vers l'extérieur pour unifier et étirer la paupière. 4. à l'aide du crayon soyeux lèvres, souligner le creux de la paupière du coin interne jusqu'au coin externe de l'œil. À l'aide du pinceau contour des yeux fondre le crayon dans la matière par mouvements de va-et-vient. 5. Pour un regard captivant, appliquer star lash mascara sur les cils en positionnant la partie incurvée de la brosse à la naissance des cils en remontant jusqu'à la pointe des cils. Renouveler l'opération pour un effet volumateur en utilisant la partie bombée de la brosse. 6. Pour faire vibrer les extrémités du regard, fixer la matière par tapotements à l'aide de la pulpe du doigt. 7. Ultime sophistication scintillante au centre de la ligne des cils :des cristaux noirs fixés à la colle à faux cils.

Terry
Créatrice de by Terry

Star des studios, elle a imposé sa marque et décliné en beauté les critères d'excellence de la haute couture. En adaptant ses credos, antistandardisation, création pure et individualisation.

"Le maquillage est aujourd'hui synonyme d'éclat beaucoup plus que d'une pseudo-perfection..."

"La modernité? C'est l'anti-effet – l'**art ultime du naturel.** Un visage nu mais avec des points d'éclat, un œil vif, **une bouche *pulp*,** une beauté spontanée... La justesse, en somme, et finalement l'exigence absolue. On exalte la luminosité qui vient de l'intérieur et qui se doit d'être naturellement là. Rien à voir avec une peau artificiellement unifiée grâce à une couche de fond de teint. On se maquille de plus en plus et cela se voit de moins en moins. On n'est plus dans le masque. On choisit un des points à mettre en valeur. C'est un travail précis sur des gestes repulpants, anti-ombres, **révélateurs de bonne mine** ou qui mettent en valeur le regard. Pour moi, le maquillage est aujourd'hui synonyme d'éclat, bien plus que de pseudo-perfection liée à des diktats incontournables. Chacune à sa façon les a, ses points d'éclat. Mon éthique, c'est le respect de chacune. Ce qui est intéressant, c'est le moment d'émerveillement d'une femme qui se croit banale et qui se voit soudain dans le miroir, l'étincelle qui passe dans ses yeux. Il faut anticiper les attentes des femmes, les déculpabiliser. On a parfaitement le droit – et plus que jamais – à un minimum de narcissisme...

UN DE MES SECRETS DE STUDIO?

Je mélangeais trois formules (fond de teint, soin hydratant et eau lissante) : autour des yeux et du nez, sur un mannequin épuisé, cela redonnait une fraîcheur immédiate. À la façon de Touche éclat, ce pinceau que j'avais inventé en 92, chez Saint Laurent – on en effleure les creux, on estompe et ▶

La palette follement riche de Terry, présentée comme autant de pierres précieuses aux couleurs du rêve.

Terry dans le secret de son laboratoire…

c'est l'équivalent d'**une nuit de sommeil réparateur…** Des concepts concrets, qui transformaient la vie des femmes, sans esbroufe, je suis juste une faiseuse de produits qui vont leur faciliter la vie. J'ai développé des textures transparentes, mais correctrices de surface, qui respectent le grain de la peau. La technologie permet des merveilles, des pigments dans un faux blanc, de la couvrance trompe-l'œil… L'éclat, c'est aussi de la couleur, avec un transparent à lèvres, un vrai blush rose bonbon sur un bronzage, un trait de khôl turquoise qui va rendre les yeux foncés mystérieux, une brillance de paupière qui va réveiller la couleur des iris…

On se fait plaisir avant de séduire l'autre. Pas de stéréotypes. Les marques ont fait un merveilleux travail d'éducation : il y a moins de catastrophes chez les beauty victims que chez les fashion victims ! C'est la liberté organisée, il faut trouver sa voie. Vous ne serez jamais maquilleuse professionnelle, faire de vous une make-up artist n'a pas de sens. Mais je vous fournis l'équivalent d'un boîtier de télécommande, avec simplement "marche/arrêt". La complexité me regarde, vous avez juste droit au résultat !

“Il y a beaucoup moins de catastrophes chez les beauty victims que chez les fashion victims”

DÉMONSTRATION EN LIVE : LA TOUCHE TERRY

LE TEINT Mon obsession créative, c'est l'éclat ! Après Eclat de Teint, le best de notre gamme teint, véritables « heures de sommeil en pot », mon laboratoire de recherches a mis au point une texture révolutionnaire que j'ai enfermée dans un pinceau surdoué : Light-Expert, un fond de teint correcteur qui sait tout gommer. Sa texture poids plume, sa couvrance trompe-l'œil et sa nouvelle gestuelle sont la garantie d'un teint parfait à tous les coups. Même les plus maladroites seront fières d'elles. Quatre teintes zéro faute. Le génie de ces tons, c'est de s'adapter à toutes les carnations sans risque d'erreur.

Mode d'emploi Cliquez, posez le pinceau partout où la peau le réclame – sous les yeux, au creux du menton, les pommettes, ailes du nez, front... lissez du plat du pinceau en mouvements de va-et-vient pour estomper la texture. Sans cliquer à nouveau, repassez le pinceau autant qu'il faudra jusqu'à disparition de la matière... Il ne reste que la lumière ! Essayez, c'est gagné !

LES POMMETTES Une touche de rose sur les pommettes, c'est comme un grand bol d'air frais. Ça dope le moral et la bonne mine. Pendant longtemps, il a suscité attrait et controverse. J'y ai toujours cru, j'en ai toujours fait. C'est l'appel de la fraîcheur. Il va à tout le monde : sublime sur les peaux mates, délicat sur les carnations très pâles.

LES YEUX J'aime bien sertir les yeux de couleur sombre, les encadrer telles des pierres précieuses dans leur écrin. Je travaille avec le Crayon Blackstar dont je recouvre le tracé d'une Ombre à Paupières poudre de couleur coordonnée pour plus d'intensité et de tenue. Indispensable, le mascara ! Bien enrober les cils de la base jusqu'aux pointes. Et pour les maladroites, j'ai une astuce infaillible pour effacer les petites bavures.

Mode d'emploi Trempez un Coton-Tige dans Éclat de Teint Rose Lumière n° 2 ou Abricot n° 5. Essorez sur le dos de la main en le faisant rouler. Comme un “effaceur”, il va dissoudre les impuretés sans démaquiller.

LA BOUCHE Je l'aime naturelle quand les yeux sont très maquillés, juste nourrie et délicatement colorée de Laque de Rose. À chacune de trouver sa couleur selon son humeur. Avec des yeux très peu maquillés, on peut se permettre une bouche de star. Je redessine le contour avec un Crayon Onctueux coordonné au rouge. Je crayonne la pulpe et j'estompe au pinceau. Je pose un Rouge Délectation, toujours au pinceau. J'aime les couleurs franches comme le Rouge Délectation Framboise Mutine n° 13, Prune Confite n° 15 ou encore Caramel Rouge n° 1.

Sybille, 38 ans, au naturel… 1. La peau de Sybille est parfaitement hydratée avec la Crème Hydra Ressource. 2. Son visage manquant d'éclat, Terry applique généreusement sur l'ensemble du visage Éclat de Teint Abricot n° 5 qui va jouer les spots de lumière. 3. Pour mettre en couleur d'une façon naturelle et unifier le grain de peau, Stick Densiliss Ambre Clair n° 5 est déposé sur les bombés du visage et fondu du bout des doigts. Il est idéal pour dissimuler toutes les imperfections. 4. Les paupières supérieures sont lissées d'Ombre Couleur Paupières Mauve Voilé n° 15 5. À l'aide du Pinceau Dôme 2, une banane est dessinée avec l'Ombre Couleur Paupières Tulipe noir n° 46. Le violet est une couleur idéale pour faire ressortir les prunelles bleues. 6. La paupière inférieure est redessinée avec la même poudre et le pinceau Précision 4, bien au ras des cils, afin de sertir le regard de Sybille d'un ruban de couleur sombre et veloutée. 7. Bien envelopper les cils supérieurs et inférieurs de Mascara Soyeux pour finir d'agrandir l'œil.
… et réinventée par Terry. Le contour de son visage est redessiné et Sybille a retrouvé une peau éclatante. La bouche a été laissée naturelle, pour faire la part belle au regard.

PATTY, 51 ANS, AU NATUREL… 1 et 2. La peau de Patty est longuement massée avec la Crème Sérénité Pureté, une crème qui nettoie en profondeur. Le massage fait monter naturellement la bonne mine. 3. Surtout pas d'épaisseur sur la peau de Patty. Terry travaille au Pinceau Précision 6 Voile de Teint Advanced Beige Moyen n° 3, un fond de teint fluide au résultat mat, dont les pigments correcteurs vont "flouter" toutes les imperfections. Le tout est largement enrobé d'un voile de Poudre Libre Éclat Abricot n° 5. 4. Une touche de blush liquide est déposée tout en transparence sur les pommettes. 5. Un trait de Crayon Blackstar Bronze Ébène n° 3 vient encadrer le bord de la paupière supérieure, trait qui est estompé au pinceau pour plus de naturel. Même travail sur le contour de la paupière inférieure mais avec l'Ombre Soyeuse Brun Vénitien n° 7. 6. Les cils sont enrobés de Mascara Soyeux. 7. La bouche a été préalablement massée avec Baume de Rose, un soin nourrissant et repulpeur dont l'excédent est essuyé. Rouge Délectation Cerise Exquise n° 14 appliqué au Pinceau donne à la bouche une transparence très fruitée, subtilement satinée.
… ET RÉINVENTÉE PAR TERRY Patty est véritablement transformée. Elle a gagné en fraîcheur et en spontanéité. Le bleu de ses yeux se révèle et son sourire "fruit défendu" lui donne un côté très glamour.

PATTY AVANT…

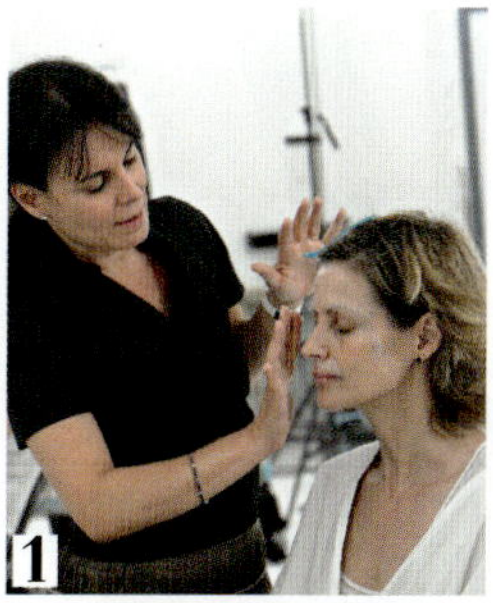
1

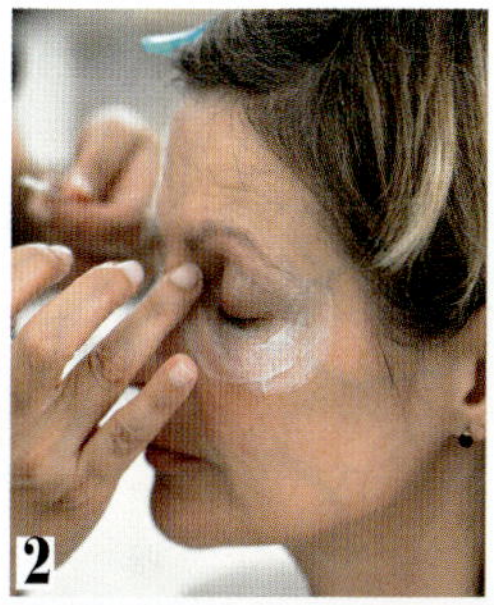
2

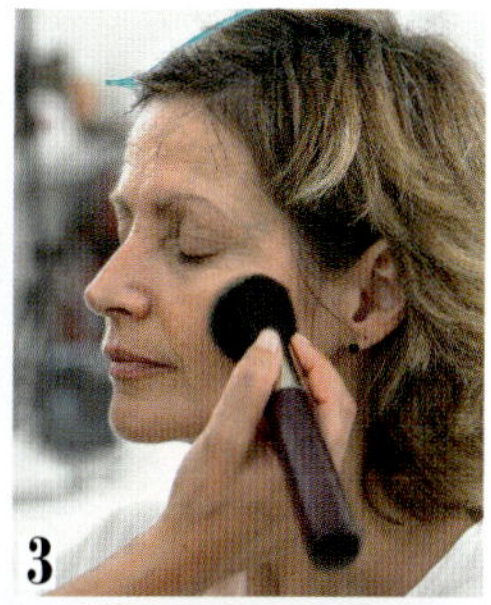
3

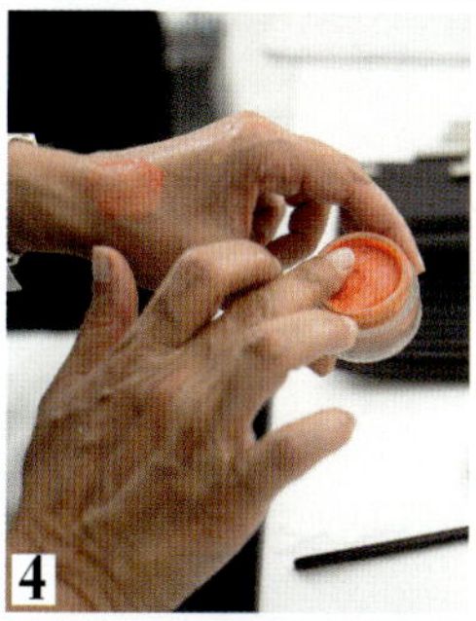
4

5

… PATTY APRÈS !

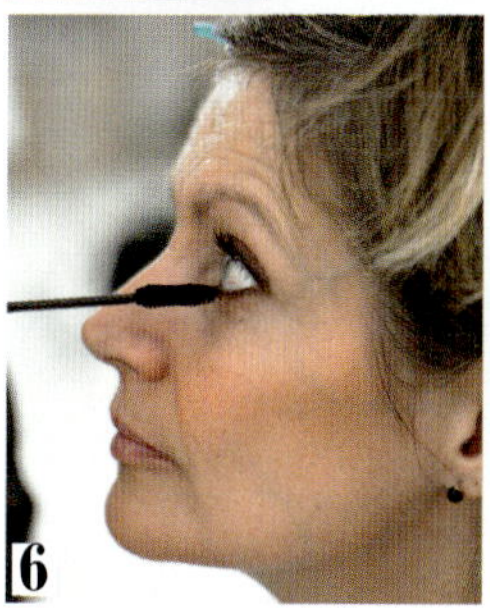
6

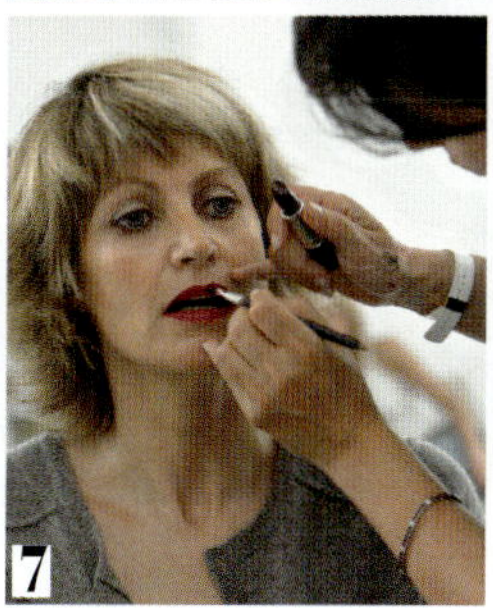
7

7

fêtes

DÉSIRS ET DÉLIRES

PEPITE CELESTE

Grands fauves ou papillons de nuit, la fête aime les extrêmes

PALETTE D'AUTOMNE

Noir profond noir extrême noir mystère le chic épique…

Art et effets de l'éphémère

La fête des sens, des couleurs, des matières… faire de son visage une toile de maître, pour une circonstance d'exception, pour la plus grisante des folies douces.

PAILLETTES ET PIGMENTS MAGIQUES ils savent se faire éclats précieux et vont parer de touches insolites les endroits les plus inattendus. La naissance du décolleté, l'arrondi de l'épaule, l'amorce d'un talon aiguille, la racine des cheveux ou le haut de la pommette. À saupoudrer d'un doigt léger, après avoir simplement enduit la peau d'une huile précieuse – ou sur le vernis transparent à peine posé.
UNE COULÉE D'OR PUR un simple trait d'eye-liner, doré ou argenté va "décaler" tout votre look. Pas besoin de surcharger. L'idée est de se lâcher mais sur un seul détail. Pas question de vous transformer en arbre de Noël ! Avec une touche de mascara de couleur, au bout des cils déjà fardés de noir, que l'on rappelle dans le même ton d'un trait de khôl au ras de la paupière, vous allez instantanément changer de registre…
UN TATOUAGE AU KHÔL clin d'œil à l'insolite, à imaginer en situation.

Matériel et matières
- huile pour le corps
- pigments
- paillettes
- beaucoup d'imagination

Crédits

CRÉDITS PHOTOGRAPHES

Hugh Arnold (p. 66, 109). **Aloïs Beer** (p. 34). **Phil. Brazil** (p. 12b). **Jean-Louis Colombel** (p. 64). **Greg Conraux** (p. 44, 63, 72, 95). **Philippe Costes** (p. 124). **Laurent Darmon** (p. 42, 126, 135). **William Davies** (p. 58, 79). **Thomas Dhellemmes** (p. 9, conception : Camille Soulayrol. Création : Johanna Elalouf). **François Deconinck** (p. 38, 87, 92, 115). **Essilor-Grey** (p. 94a). **Bruno Fabbri** (p. 82). **Frédéric Farré** (p. 32, 48, 78, 90, 93, 96, 98, 100, 110, 122, 123, 129, 132, 137, 138, 139). **Darren S. Feist/Marie Claire/IPC Syndication** (p. 71). **Roberto Frankenberg** (p. 178, 179). **Christian Giesen** (p. 16, 17, 18, 19, 20, 21). **Hervé Haddad** (p. 12d). **Emmanuelle Hauguel** (p. 35, 55, 67, 86, 86a, 104, 114, 119, 131, 184, 185). **Bruno Juminer** (p. 40, 41, 120, 121). **Eddy Kohli** (couverture, p. 183, 186, 189, 191). **Daniel Krings** (p. 47) ; **Wolfgang Ludes** (p. 12c, 31). **Jeff Manzetti** (p. 12a, 26, 39, 43, 49, 52, 56, 76, 77, 91, 107, 130). **Christopher Micaud** (p. 80). **Marc Montezin** (p. 94b). **Pascal Moraiz** (p. 24). **Bob Norris** (p. 89, 102, 117). **Marc Philbert** (p. 23). **Monika Robl** (p. 57, 84). **Pierre Sabatier** (p. 181). **Philippe Salomon** (p. 36, 37, 62, 65, 68, 70, 73, 74, 190). **Michel Sedan** (p. 11a et b, 114). **Jens Stuart** (p. 81). **Liang Su** (p. 11c). **Annabelle Tiaffay** (p. 46) ; **Marcin Tyszka** (p. 29, 101). **Sabine Villiard** (p. 45, 118, 136). **Félix Von Muralt** (p. 140). **Kenneth Willardt** (p. 11d, 30, 60, 112). **Michael Wirth** (p. 85, 08). **DR Guerlain** (p. 142 à 149). **DR L'Oréal Paris** (p. 150 à 157). **Gilles Traverso** (p. 153, 156a). **Simon Procter** (p. 156.b et c, 157). **DR Bobbi Brown** (p. 158 à 165). **DR Giorgio Armani Cosmetics** (p. 166 à 173). **DR By Terry** (p. 174 à 177).

CRÉDITS MANNEQUINS

Polly (p. 115). **Contrebande** Patty (p. 179). **Élite** Loan Chabanol (p. 11b), Naomie Lan (p. 45), Laura Cisneros (p. 87, 117), Natalia Zavillova (p. 183, 189, 191). **Élite-Amsterdam** Jolijn (p. 26). **First Model** Anissa (p. 63). **Ford** Jessica Van Der Steen (p. 11d), Tessa Rolink (p. 35), Micky Olin (p. 40, 41, 120, 121). **Idole** Sarah Irvine (p. 58). **IMG** Karin Anderson (p. 12a, 43, 82), Svetlana Utkina (p. 68, 70), Ana Muzica (p. 77), Maria Lith (p. 81, 110), Jacqueline Zao (p. 85). **Karin** Zenia Eriksen (p. 48), Kristina Semenovskaia (p. 55), Lucie Novotny (p. 122). **Marilyn** Katarina Scola (p. 30), Sal Taylor (p. 80). **Metropolitan** Fatou Ndiaye (p 11a, 114), Lu Yan (p. 12d), Elena Soldatova (p. 31), Laura Poketova (p. 36, 37), Danuta Nowowsiak (p. 42), Olga Elnikova (p. 65), Marina Prodnikava (p. 108). **Next** Ilze Bajare (p. 29, 101), Anja Rubik (p. 60, 112), Nanda Hampe (p. 109), Kelly Scott (p. 184). **Next-New York** Caroline Eggert (p. 49). **Premier Model Management-Londres** Yana Boyko (p. 84). **Slides** Noémie (p. 46). **Viva Paris** Rose Anne (p. 88). **Woman** Agnès Dhaussy (p. 16, 18, 20, 21), Alyson (p. 16, 19, 21). **Women direct** Arantxa Santa Maria (p. 56, 76, 130), Alzbeta Syrovatkova (p 73, 190), Connie Houston (p. 92), Marga Van Leen (p. 135). **Sybille Kleber** (p. 178).

MAKE-UP PAR **marie claire**
Direction d'édition : Thierry Lamarre.
Conception et réalisation éditoriale : Josette Milgram.
Création graphique et mise en page : Valérie Paturel.
Relecture : Julie Bavant.
Assistante d'édition : Adeline Lobut.
Iconographie : Domitille Peyron, Sylvie Creusy, Isabelle Teboul.

LE MAGAZINE **marie claire**
Directrice déléguée : Monique Majerowicz.
Directrice de la rédaction : Tina Kieffer.
Rédactrice en chef Beauté Forme Santé : Ariane Goldet.
Directeur artistique Mode Beauté : Philippe Gruson.
Chef de rubrique Beauté : Nolwenn du Laz.

Éditions **marie claire**
publiées par Société d'Information et de Créations SIC, une société de Marie Claire Album SA
10, bd des Frères-Voisin 92792 Issy-Les-Moulineaux CEDEX 9 – France. Tél. : 01 41 46 88 88.
R.C.S. Nanterre 302 114 509 R.C.S. Nanterre. SARL au capital de 3 822 000 euros.
© 2006, éditions Marie Claire – Société d'Information et de Créations – SIC. Réimpression 2008.
N° ISBN : 2-84831-80-4 N° éditeur : 38369. Achevé d'imprimer en Roumanie par G. Canale & C. s.r.l.
Dépôt légal : 3e trimestre 2006.
www.editionsmarieclaire.com

MARIE CLAIRE ALBUM SA
Directeur général : Arnaud de Contades.
Président : Évelyne Prouvost-Berry.